DIE VERWANDLUNG

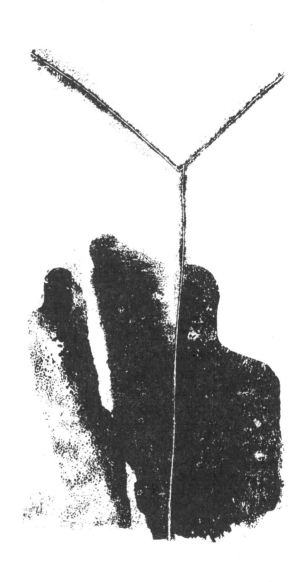

VITALIS

BIBLIOTHECA
BOHEMICA

Franz Kafka
Die Verwandlung

sowie Karl Brands
Die Rückverwandlung des Gregor Samsa

VITALIS

Bibliographische Information der Deutschen Bibliothek. Die Deutsche Bibliothek verzeichnet diese Publikation in der Deutschen Nationalbibliografie; detaillierte bibliografische Daten sind im Internet über http://dnb.ddb.de abrufbar.

© Vitalis, 2006 • BIBLIOTHECA BOHEMICA • Umschlagblatt und Illustrationen von Karel Hruška • Beilage zur Entstehung und Wirkung von Elisabeth Fuchs • Druck und Bindung in der EU ISBN 3-89919-064-5 (Vitalis GmbH) • ISBN 80-7253-092-5 (Vitalis, s.r.o.) • Alle Rechte vorbehalten • www. vitalis-verlag.com

Der Verlag dankt Herrn Hartmut Binder für die freundliche Abdruckgenehmigung der aus seinen Archivbeständen stammenden Abbildungen auf den Seiten 98 (links), 99, 105 (unten) und 107 (links). Das übrige Bildmaterial entstammt dem verlagseigenen Archiv fotografischer Abbildungen und historischer Publikationen. Trotz eingehender Nachforschungen konnten nicht alle Bildrechte ermittelt werden, etwaige Rechteinhaber werden gebeten, sich mit dem Verlag in Verbindung zu setzen.

INHALTSVERZEICHNIS

Kapitel I 9

Kapitel II 33

Kapitel III 61

Die Rückverwandlung des Gregor Samsa 87

Zur Entstehung und Wirkung 93

I

Als Gregor Samsa eines Morgens aus unruhigen Träumen erwachte, fand er sich in seinem Bett zu einem ungeheueren Ungeziefer verwandelt. Er lag auf seinem panzerartig harten Rücken und sah, wenn er den Kopf ein wenig hob, seinen gewölbten, braunen, von bogenförmigen Versteifungen geteilten Bauch, auf dessen Höhe sich die Bettdecke, zum gänzlichen Niedergleiten bereit, kaum noch erhalten konnte. Seine vielen, im Vergleich zu seinem sonstigen Umfang kläglich dünnen Beine flimmerten ihm hilflos vor den Augen.

„Was ist mit mir geschehen?" dachte er. Es war kein Traum. Sein Zimmer, ein richtiges, nur etwas zu kleines Menschenzimmer, lag ruhig zwischen den vier wohlbekannten Wänden. Über dem Tisch, auf dem eine auseinandergepackte Musterkollektion von Tuchwaren ausgebreitet war – Samsa war Reisender –, hing das Bild, das er vor kurzem aus einer illustrierten Zeitschrift ausgeschnitten und in einem hübschen, vergoldeten Rahmen untergebracht hatte. Es stellte eine Dame dar, die, mit einem Pelzhut und einer Pelzboa versehen, aufrecht dasaß und einen schweren Pelzmuff, in dem ihr ganzer Unterarm verschwunden war, dem Beschauer entgegenhob.

Gregors Blick richtete sich dann zum Fenster, und das trübe Wetter – man hörte Regentropfen auf das Fensterblech aufschlagen – machte ihn ganz melancholisch. „Wie wäre es, wenn ich noch ein wenig weiterschliefe und alle Narrheiten vergäße", dachte er, aber das war gänzlich undurchführbar, denn er war gewöhnt, auf der rechten Seite zu schlafen, konnte sich aber in seinem gegenwärtigen Zustand nicht in diese Lage bringen. Mit welcher Kraft er sich auch auf die rechte Seite warf, immer wieder schaukelte er in die Rückenlage zurück. Er versuchte es wohl hundertmal, schloß die Augen, um die zappelnden Beine nicht sehen zu müssen, und ließ erst ab, als er in der Seite einen noch nie gefühlten, leichten, dumpfen Schmerz zu fühlen begann.

„Ach Gott", dachte er, „was für einen anstrengenden Beruf habe ich gewählt! Tagaus, tagein auf der Reise. Die geschäftlichen Aufregungen sind viel größer als im eigentlichen Geschäft zu Hause, und außerdem ist mir noch diese Plage des Reisens auferlegt, die Sorgen um die Zuganschlüsse, das unregelmäßige, schlechte Essen, ein immer wechselnder, nie andauernder, nie herzlich werdender menschlicher Verkehr. Der Teufel soll das alles holen!" Er fühlte ein leichtes Jucken oben auf dem Bauch; schob sich auf dem Rücken langsam näher zum Bettpfosten, um den Kopf besser heben zu können; fand die juckende Stelle, die mit lauter kleinen weißen Pünktchen besetzt war, die er nicht zu beurteilen verstand; und wollte mit einem Bein die Stelle betasten, zog es aber gleich zurück, denn bei der Berührung umwehten ihn Kälteschauer.

Er glitt wieder in seine frühere Lage zurück. „Dies frühzeitige Aufstehen", dachte er, „macht einen ganz blödsinnig. Der Mensch muß seinen Schlaf haben. Andere Reisende leben wie Haremsfrauen. Wenn ich zum Beispiel im Laufe des Vormittags ins Gasthaus zurückgehe, um die erlangten Aufträge zu überschreiben, sitzen diese Herren erst beim Frühstück. Das sollte ich bei meinem Chef versuchen; ich würde auf der Stelle hinausfliegen. Wer weiß übrigens, ob das nicht sehr gut für mich wäre. Wenn ich mich nicht wegen meiner Eltern zurückhielte, ich hätte längst gekündigt, ich wäre vor den Chef hin getreten und hätte ihm meine Meinung von Grund des Herzens aus gesagt. Vom Pult hätte er fallen müssen! Es ist auch eine sonderbare Art, sich auf das Pult zu setzen und von der Höhe herab mit dem Angestellten zu reden, der überdies wegen der Schwerhörigkeit des Chefs ganz nahe herantreten muß. Nun, die Hoffnung ist noch nicht gänzlich aufgegeben; habe ich einmal das Geld beisammen, um die Schuld der Eltern an ihn abzuzahlen – es dürfte noch fünf bis sechs Jahre dauern –, mache ich die Sache unbedingt. Dann wird der große Schnitt gemacht. Vorläufig allerdings muß ich aufstehen, denn mein Zug fährt um fünf.«

Und er sah zur Weckuhr hinüber, die auf dem Kasten tickte. „Himmlischer Vater!" dachte er. Es war halb sieben Uhr, und die Zeiger gingen ruhig vorwärts, es war sogar halb vorüber, es näherte sich schon dreiviertel. Sollte der Wecker nicht geläutet haben? Man sah vom Bett aus, daß er auf vier Uhr richtig eingestellt war; gewiß hatte er auch geläutet. Ja, aber war es möglich, dieses möbelerschütternde Läuten ruhig zu verschlafen? Nun, ruhig hatte er ja nicht geschlafen, aber wahrscheinlich desto fester. Was aber sollte er jetzt tun? Der nächste Zug ging um sieben Uhr; um den einzuholen, hätte er sich unsinnig beeilen müssen, und die Kollektion war noch nicht eingepackt, und er selbst fühlte sich durchaus nicht besonders frisch und beweglich. Und selbst wenn er den Zug einholte, ein Donnerwetter des Chefs war nicht zu vermeiden, denn der Geschäftsdiener hatte beim Fünfuhrzug gewartet und die Meldung von seiner Versäumnis längst erstattet. Er war eine Kreatur des Chefs, ohne Rückgrat und Verstand. Wie nun,

11

wenn er sich krank meldete? Das wäre aber äußerst peinlich und verdächtig, denn Gregor war während seines fünfjährigen Dienstes noch nicht einmal krank gewesen. Gewiß würde der Chef mit dem Krankenkassenarzt kommen, würde den Eltern wegen des faulen Sohnes Vorwürfe machen und alle Einwände durch den Hinweis auf den Krankenkassenarzt abschneiden, für den es ja überhaupt nur ganz gesunde, aber arbeitsscheue Menschen gibt. Und hätte er übrigens in diesem Falle so ganz unrecht? Gregor fühlte sich tatsächlich, abgesehen von einer nach dem langen Schlaf wirklich überflüssigen Schläfrigkeit, ganz wohl und hatte sogar einen besonders kräftigen Hunger.

Als er dies alles in größter Eile überlegte, ohne sich entschließen zu können, das Bett zu verlassen – gerade schlug der Wecker dreiviertel sieben –, klopfte es vorsichtig an die Tür am Kopfende seines Bettes. „Gregor", rief es – es war die Mutter –, „es ist dreiviertel sieben. Wolltest du nicht wegfahren?" Die sanfte Stimme! Gregor erschrak, als er seine antwortende Stimme hörte, die wohl unverkennbar seine frühere war, in die sich aber, wie von unten her, ein nicht zu unterdrückendes, schmerzliches Piepsen mischte, das die Worte förmlich nur im ersten Augenblick in ihrer Deutlichkeit beließ, um sie im Nachklang derart zu zerstören, daß man nicht wußte, ob man recht gehört hatte. Gregor hatte ausführlich antworten und alles erklären wollen, beschränkte sich aber bei diesen Umständen darauf, zu sagen: „Ja, ja, danke Mutter, ich stehe schon auf." Infolge der Holztür war die Veränderung in Gregors Stimme draußen wohl nicht zu merken, denn die Mutter beruhigte sich mit dieser Erklärung und schlürfte davon. Aber durch das kleine Gespräch waren die anderen Familienmitglieder darauf aufmerksam geworden, daß Gregor wider Erwarten noch zu Hause war, und schon klopfte an der einen Seitentür der Vater, schwach, aber mit der Faust. „Gregor, Gregor", rief er, „was ist denn?" Und nach einer kleinen Weile mahnte er nochmals mit tieferer Stimme: „Gregor! Gregor!" An der anderen Seitentür aber klagte leise die Schwester: „Gregor? Ist dir nicht wohl? Brauchst du etwas?" Nach beiden Seiten hin antwortete Gregor: „Bin schon fertig", bemühte sich, durch die sorgfältigste Aussprache und durch Einschaltung von langen Pausen zwischen den einzelnen Worten seiner Stimme alles Auffallende zu nehmen. Der Vater kehrte auch zu seinem Frühstück zurück, die Schwester aber flüsterte: „Gregor, mach auf, ich beschwöre dich." Gregor aber dachte gar nicht daran aufzumachen, sondern lobte die vom Reisen her übernommene Vorsicht, auch zu Hause alle Türen während der Nacht zu versperren.

Zunächst wollte er ruhig und ungestört aufstehen, sich anziehen und vor allem frühstücken, und dann erst das Weitere überlegen, denn, das merkte er wohl, im Bett würde er mit dem Nachdenken zu keinem vernünftigen Ende kommen. Er erinnerte sich, schon öfters im Bett irgendeinen vielleicht durch ungeschicktes Liegen erzeugten, leichten Schmerz empfunden zu haben, der sich dann beim Aufstehen als reine Einbildung herausstellte, und er war gespannt, wie sich seine heutigen Vorstellungen allmählich auflösen würden. Daß die Veränderung der Stimme nichts anderes war als der Vorbote einer tüchtigen Verkühlung, einer Berufskrankheit der Reisenden, daran zweifelte er nicht im geringsten.

Die Decke abzuwerfen war ganz einfach; er brauchte sich nur ein wenig aufzublasen und sie fiel von selbst. Aber weiterhin wurde es schwierig, besonders weil er so ungemein breit war. Er hätte Arme und Hände gebraucht, um sich aufzurichten; statt dessen aber hatte er nur die vielen Beinchen, die ununterbrochen in der verschiedensten Bewegung waren und die er überdies nicht beherrschen konnte. Wollte er eines einmal einknicken, so war es das erste, daß es sich streckte; und gelang es ihm endlich, mit diesem Bein das auszuführen, was er wollte, so arbeiteten inzwischen alle anderen, wie freigelassen, in höchster, schmerzlicher Aufregung. „Nur sich nicht im Bett unnütz aufhalten", sagte sich Gregor.

Zuerst wollte er mit dem unteren Teil seines Körpers aus dem Bett hinauskommen, aber dieser untere Teil, den er übrigens noch nicht gesehen hatte und von dem er sich auch keine rechte Vorstellung machen konnte, erwies sich als zu schwer beweglich; es ging so langsam; und als er schließlich, fast wild geworden, mit gesammelter Kraft, ohne Rücksicht sich vorwärtsstieß, hatte er die Richtung falsch gewählt, schlug an den unteren Bettpfosten heftig an, und der brennende Schmerz, den er empfand, belehrte ihn, daß gerade der untere Teil seines Körpers augenblicklich vielleicht der empfindlichste war.

Er versuchte es daher, zuerst den Oberkörper aus dem Bett zu bekommen, und drehte vorsichtig den Kopf dem Bettrand zu. Dies gelang auch leicht, und trotz ihrer Breite und Schwere folgte schließlich die Körpermasse langsam der Wendung des Kopfes. Aber als er den Kopf endlich außerhalb des Bettes in der freien Luft hielt, bekam er Angst, weiter auf diese Weise vorzurücken, denn wenn er sich schließlich so fallen ließ, mußte geradezu ein Wunder geschehen, wenn der Kopf nicht verletzt werden sollte. Und die Besinnung durfte er gerade jetzt um keinen Preis verlieren; lieber wollte er im Bett bleiben.

Aber als er wieder nach gleicher Mühe aufseufzend so dalag wie früher, und wieder seine Beinchen womöglich noch ärger gegeneinander kämpfen sah und keine Möglichkeit fand, in diese Willkür Ruhe und Ordnung zu bringen, sagte er sich wieder, daß er unmöglich im Bett bleiben könne und daß es das Vernünftigste sei, alles zu opfern, wenn auch nur die kleinste Hoffnung bestünde, sich dadurch vom Bett zu befreien. Gleichzeitig aber vergaß er nicht, sich zwischendurch daran zu erinnern, daß viel besser als verzweifelte Entschlüsse ruhige und ruhigste Überlegung sei. In solchen Augenblicken richtete er die Augen möglichst scharf auf das Fenster, aber leider war aus dem Anblick des Morgennebels, der sogar die andere Seite der engen Straße verhüllte, wenig Zuversicht und Munterkeit zu holen. „Schon sieben Uhr", sagte er sich beim neuerlichen Schlagen des Weckers, „schon sieben Uhr und noch immer ein solcher Nebel." Und ein Weilchen lang lag er ruhig mit schwachem Atem, als erwarte er vielleicht von der völligen Stille die Wiederkehr der wirklichen und selbstverständlichen Verhältnisse.

Dann aber sagte er sich: „Ehe es einviertel acht schlägt, muß ich unbedingt das Bett vollständig verlassen haben. Im übrigen wird auch bis dahin jemand aus dem Geschäft kommen, um nach mir zu fragen, denn das Geschäft wird vor sieben Uhr geöffnet." Und er machte sich nun daran, den Körper in seiner ganzen Länge vollständig gleichmäßig aus dem Bett hinauszuschaukeln. Wenn er sich auf diese Weise aus dem Bett fallen ließ, blieb der Kopf, den er beim Fall scharf heben wollte, voraussichtlich unverletzt. Der Rücken schien hart zu sein; dem würde wohl bei dem Fall auf den Teppich nichts geschehen. Das größte Bedenken machte ihm die Rücksicht auf den lauten Krach, den es geben müßte und der wahrscheinlich hinter allen Türen wenn nicht Schrecken, so doch Besorgnisse erregen würde. Das mußte aber gewagt werden.

Als Gregor schon zur Hälfte aus dem Bette ragte – die neue Methode war mehr ein Spiel als eine Anstrengung, er brauchte immer nur ruckweise zu schaukeln –, fiel ihm ein, wie einfach alles wäre, wenn man ihm zu Hilfe käme. Zwei starke Leute – er dachte an seinen Vater und das Dienstmädchen – hätten vollständig genügt, sie hätten ihre Arme nur unter seinen gewölbten Rücken schieben, ihn so aus dem Bett schälen, sich mit der Last niederbeugen und dann bloß vorsichtig dulden müssen, daß er den Überschwung auf dem Fußboden vollzog, wo dann die Beinchen hoffentlich einen Sinn bekommen würden. Nun, ganz abgesehen davon, daß die Türen versperrt waren, hätte er wirklich um Hilfe rufen sollen? Trotz aller Not konnte er bei diesem Gedanken ein Lächeln nicht unterdrücken.

Schon war er so weit, daß er bei stärkerem Schaukeln kaum das Gleichgewicht noch erhielt, und sehr bald mußte er sich nun endgültig entscheiden, denn es war in fünf Minuten einviertel acht, – als es an der Wohnungstür läutete. „Das ist jemand aus dem Geschäft", sagte er sich und erstarrte fast, während seine Beinchen nur desto eiliger tanzten. Einen Augenblick blieb alles still. „Sie öffnen nicht", sagte sich Gregor, befangen in irgendeiner unsinnigen Hoffnung. Aber dann ging natürlich wie immer das Dienstmädchen festen Schrittes zur Tür und öffnete. Gregor brauchte nur das erste Grußwort des Besuchers zu hören und wußte schon, wer es war – der Prokurist selbst. Warum war nur Gregor dazu verurteilt, bei einer Firma zu dienen, wo man bei der kleinsten

16

Versäumnis gleich den größten Verdacht faßte? Waren denn alle Angestellten samt und sonders Lumpen, gab es denn unter ihnen keinen treuen, ergebenen Menschen, der, wenn er auch nur ein paar Morgenstunden für das Geschäft nicht ausgenützt hatte, vor Gewissensbissen närrisch wurde und geradezu nicht imstande war, das Bett zu verlassen? Genügte es wirklich nicht, einen Lehrjungen nachfragen zu lassen – wenn überhaupt diese Fragerei nötig war –, mußte da der Prokurist selbst kommen, und mußte dadurch der ganzen unschuldigen Familie gezeigt werden, daß die Untersuchung dieser verdächtigen Angelegenheit nur dem Verstand des Prokuristen anvertraut werden konnte? Und mehr infolge der Erregung, in welche Gregor durch diese Überlegungen versetzt wurde, als infolge eines richtigen Entschlusses, schwang er sich mit aller Macht aus dem Bett. Es gab einen lauten Schlag, aber ein eigentlicher Krach war es nicht. Ein wenig wurde der Fall durch den Teppich abgeschwächt, auch war der Rücken elastischer, als Gregor gedacht hatte, daher kam der nicht gar so auffallende dumpfe Klang. Nur den Kopf hatte er nicht vorsichtig genug gehalten und ihn angeschlagen; er drehte ihn und rieb ihn an dem Teppich vor Ärger und Schmerz.

„Da drin ist etwas gefallen", sagte der Prokurist im Nebenzimmer links. Gregor suchte sich vorzustellen, ob nicht auch einmal dem Prokuristen etwas Ähnliches passieren könnte, wie heute ihm; die Möglichkeit dessen mußte man doch eigentlich zugeben. Aber wie zur rohen Antwort auf diese Frage machte jetzt der Prokurist im Nebenzimmer ein paar bestimmte Schritte und ließ seine Lackstiefel knarren. Aus dem Nebenzimmer rechts flüsterte die Schwester, um Gregor zu verständigen: „Gregor, der Prokurist ist da." „Ich weiß", sagte Gregor vor sich hin;

aber so laut, daß es die Schwester hätte hören können, wagte er die Stimme nicht zu erheben.

„Gregor", sagte nun der Vater aus dem Nebenzimmer links, „der Herr Prokurist ist gekommen und
erkundigt sich, warum du nicht mit dem Frühzug
weggefahren bist. Wir wissen nicht, was wir ihm sagen sollen. Übrigens will er auch mit dir persönlich
sprechen. Also bitte mach die Tür auf. Er wird die
Unordnung im Zimmer zu entschuldigen schon die
Güte haben." „Guten Morgen, Herr Samsa", rief der
Prokurist freundlich dazwischen. „Ihm ist nicht
wohl", sagte die Mutter zum Prokuristen, während
der Vater noch an der Tür redete, „ihm ist nicht
wohl, glauben Sie mir, Herr Prokurist. Wie würde
denn Gregor sonst einen Zug versäumen! Der Junge
hat ja nichts im Kopf als das Geschäft. Ich ärgere
mich schon fast, daß er abends niemals ausgeht; jetzt
war er doch acht Tage in der Stadt, aber jeden Abend
war er zu Hause. Da sitzt er bei uns am Tisch und
liest still die Zeitung oder studiert Fahrpläne. Es ist
schon eine Zerstreuung für ihn, wenn er sich mit
Laubsägearbeiten beschäftigt. Da hat er zum Beispiel
im Laufe von zwei, drei Abenden einen kleinen Rahmen geschnitzt; Sie werden staunen, wie hübsch er
ist; er hängt drin im Zimmer; Sie werden ihn gleich
sehen, bis Gregor aufmacht. Ich bin übrigens glücklich, daß Sie da sind, Herr Prokurist; wir allein hätten Gregor nicht dazu gebracht, die Tür zu öffnen; er
ist so hartnäckig; und bestimmt ist ihm nicht wohl,
trotzdem er es am Morgen geleugnet hat." „Ich komme gleich", sagte Gregor langsam und bedächtig und
rührte sich nicht, um kein Wort der Gespräche zu
verlieren. „Anders, gnädige Frau, kann ich es mir
auch nicht erklären", sagte der Prokurist, „hoffentlich ist es nichts Ernstes. Wenn ich auch andererseits

sagen muß, daß wir Geschäftsleute – wie man will, leider oder glücklicherweise – ein leichtes Unwohlsein sehr oft aus geschäftlichen Rücksichten einfach überwinden müssen." „Also kann der Herr Prokurist schon zu dir hinein?" fragte der ungeduldige Vater und klopfte wiederum an die Tür. „Nein", sagte Gregor. Im Nebenzimmer links trat eine peinliche Stille ein, im Nebenzimmer rechts begann die Schwester zu schluchzen.

Warum ging denn die Schwester nicht zu den anderen? Sie war wohl erst jetzt aus dem Bett aufgestanden und hatte noch gar nicht angefangen sich anzuziehen. Und warum weinte sie denn? Weil er nicht aufstand und den Prokuristen nicht hereinließ, weil er in Gefahr war, den Posten zu verlieren, und weil dann der Chef die Eltern mit den alten Forderungen wieder verfolgen würde? Das waren doch vorläufig wohl unnötige Sorgen. Noch war Gregor hier und dachte nicht im geringsten daran, seine Familie zu verlassen. Augenblicklich lag er wohl da auf dem Teppich, und niemand, der seinen Zustand gekannt hätte, hätte im Ernst von ihm verlangt, daß er den Prokuristen hereinlasse. Aber wegen dieser kleinen Unhöflichkeit, für die sich ja später leicht eine passende Ausrede finden würde, konnte Gregor doch nicht gut sofort weggeschickt werden. Und Gregor schien es, daß es viel vernünftiger wäre, ihn jetzt in Ruhe zu lassen, statt ihn mit Weinen und Zureden zu stören. Aber es war eben die Ungewißheit, welche die anderen bedrängte und ihr Benehmen entschuldigte.

„Herr Samsa", rief nun der Prokurist mit erhobener Stimme, „was ist denn los? Sie verbarrikadieren sich da in Ihrem Zimmer, antworten bloß mit Ja und Nein, machen Ihren Eltern schwere, unnötige Sorgen und versäumen – dies nur nebenbei erwähnt –

Ihre geschäftlichen Pflichten in einer eigentlich uner-
hörten Weise. Ich spreche hier im Namen Ihrer Eltern und Ihres Chefs und bitte Sie ganz ernsthaft um
eine augenblickliche, deutliche Erklärung. Ich staune,
ich staune. Ich glaubte Sie als einen ruhigen, vernünftigen Menschen zu kennen, und nun scheinen
Sie plötzlich anfangen zu wollen, mit sonderbaren
Launen zu paradieren. Der Chef deutete mir zwar
heute früh eine mögliche Erklärung für Ihre Versäumnis an – sie betraf das Ihnen seit kurzem anver-
traute Inkasso –, aber ich legte wahrhaftig fast mein
Ehrenwort dafür ein, daß diese Erklärung nicht zu-
treffen könne. Nun aber sehe ich hier Ihren unbe-
greiflichen Starrsinn und verliere ganz und gar jede
Lust, mich auch nur im geringsten für Sie einzuset-
zen. Und Ihre Stellung ist durchaus nicht die festeste.
Ich hatte ursprünglich die Absicht, Ihnen das alles
unter vier Augen zu sagen, aber da Sie mich hier
nutzlos meine Zeit versäumen lassen, weiß ich nicht,
warum es nicht auch Ihre Herren Eltern erfahren sollen. Ihre Leistungen in der letzten Zeit waren also
sehr unbefriedigend; es ist zwar nicht die Jahreszeit,
um besondere Geschäfte zu machen, das erkennen
wir an; aber eine Jahreszeit, um keine Geschäfte zu
machen, gibt es überhaupt nicht, Herr Samsa, darf es
nicht geben." „Aber Herr Prokurist", rief Gregor
außer sich und vergaß in der Aufregung alles andere,
„ich mache ja sofort, augenblicklich auf. Ein leichtes
Unwohlsein, ein Schwindelanfall, haben mich ver-
hindert aufzustehen. Ich liege noch jetzt im Bett.
Jetzt bin ich aber schon wieder ganz frisch. Eben stei-
ge ich aus dem Bett. Nur einen kleinen Augenblick
Geduld! Es geht noch nicht so gut, wie ich dachte. Es
ist mir aber schon wohl. Wie das nur einen Menschen so überfallen kann! Noch gestern abend war

mir ganz gut, meine Eltern wissen es ja, oder besser, schon gestern abend hatte ich eine kleine Vorahnung. Man hätte es mir ansehen müssen. Warum habe ich es nur im Geschäft nicht gemeldet! Aber man denkt eben immer, daß man die Krankheit ohne Zuhausebleiben überstehen wird. Herr Prokurist! Schonen Sie meine Eltern! Für alle die Vorwürfe, die Sie mir jetzt machen, ist ja kein Grund; man hat mir ja davon auch kein Wort gesagt. Sie haben vielleicht die letzten Aufträge, die ich geschickt habe, nicht gelesen. Übrigens, noch mit dem Achtuhrzug fahre ich auf die Reise, die paar Stunden Ruhe haben mich gekräftigt. Halten Sie sich nur nicht auf, Herr Prokurist; ich bin gleich selbst im Geschäft, und haben Sie die Güte, das zu sagen und mich dem Herrn Chef zu empfehlen!"

Und während Gregor dies alles hastig ausstieß und kaum wußte, was er sprach, hatte er sich leicht, wohl infolge der im Bett bereits erlangten Übung, dem Kasten genähert und versuchte nun, an ihm sich aufzurichten. Er wollte tatsächlich die Tür aufmachen, tatsächlich sich sehen lassen und mit dem Prokuristen sprechen; er war begierig zu erfahren, was die anderen, die jetzt so nach ihm verlangten, bei seinem Anblick sagen würden. Würden sie erschrecken, dann hatte Gregor keine Verantwortung mehr und konnte ruhig sein. Würden sie aber alles ruhig hinnehmen, dann hatte auch er keinen Grund sich aufzuregen, und konnte, wenn er sich beeilte, um acht Uhr tatsächlich auf dem Bahnhof sein. Zuerst glitt er nun einige Male von dem glatten Kasten ab, aber endlich gab er sich einen letzten Schwung und stand aufrecht da; auf die Schmerzen im Unterleib achtete er gar nicht mehr, so sehr sie auch brannten. Nun ließ er sich gegen die Rückenlehne eines nahen Stuhles fallen, an deren Rändern er sich mit seinen Beinchen festhielt. Damit hatte er aber auch die Herrschaft über sich erlangt und verstummte, denn nun konnte er den Prokuristen anhören.

„Haben Sie auch nur ein Wort verstanden?" fragte der Prokurist die Eltern, „er macht sich doch wohl nicht einen Narren aus uns?" „Um Gottes willen", rief die Mutter schon unter Weinen, „er ist vielleicht schwer krank, und wir quälen ihn. Grete! Grete!" schrie sie dann. „Mutter?" rief die Schwester von der anderen Seite. Sie verständigten sich durch Gregors Zimmer. „Du mußt augenblicklich zum Arzt. Gregor ist krank. Rasch um den Arzt. Hast du Gregor jetzt reden hören?" „Das war eine Tierstimme", sagte der Prokurist, auffallend leise gegenüber dem Schreien der Mutter. „Anna! Anna!" rief der Vater durch das Vorzimmer in die Küche und klatschte in die Hände, „sofort einen Schlosser holen!" Und schon liefen die zwei Mädchen mit rauschenden Röcken durch das Vorzimmer – wie hatte sich die Schwester denn so schnell angezogen? – und rissen die Wohnungstüre auf. Man hörte gar nicht die Türe zuschlagen; sie hatten sie wohl offen gelassen, wie es in Wohnungen zu sein pflegt, in denen ein großes Unglück geschehen ist.

Gregor war aber viel ruhiger geworden. Man verstand zwar also seine Worte nicht mehr, trotzdem sie ihm genug klar, klarer als früher, vorgekommen waren, vielleicht infolge der Gewöhnung des Ohres. Aber immerhin glaubte man nun schon daran, daß es mit ihm nicht ganz in Ordnung war, und war bereit, ihm zu helfen. Die Zuversicht und Sicherheit, mit welchen die ersten Anordnungen getroffen worden waren, taten ihm wohl. Er fühlte sich wieder einbezogen in den menschlichen Kreis und erhoffte von beiden, vom Arzt und vom Schlosser, ohne sie eigentlich genau zu scheiden, großartige und überraschende Leistungen. Um für die sich nähernden entscheidenden Besprechungen eine möglichst klare Stimme zu bekommen, hustete er ein wenig ab, allerdings bemüht, dies ganz gedämpft zu tun, da möglicherweise auch schon dieses Geräusch anders als menschlicher Husten klang, was er selbst zu entscheiden sich nicht mehr getraute. Im Nebenzimmer war es inzwischen ganz still geworden. Vielleicht saßen die Eltern mit dem Prokuristen beim Tisch und tuschelten, vielleicht lehnten alle an der Türe und horchten.

Gregor schob sich langsam mit dem Sessel zur Tür hin, ließ ihn dort los, warf sich gegen die Tür, hielt sich an ihr aufrecht – die Ballen seiner Beinchen hatten ein wenig Klebstoff – und ruhte sich dort einen Augenblick lang von der Anstrengung aus. Dann aber machte er sich daran, mit dem Mund den Schlüssel im Schloß umzudrehen. Es schien leider, daß er keine eigentlichen Zähne hatte, – womit sollte er gleich den Schlüssel fassen? – aber dafür waren die Kiefer freilich sehr stark; mit ihrer Hilfe brachte er auch wirklich den Schlüssel in Bewegung und achtete nicht darauf, daß er sich zweifellos irgendeinen Schaden zufügte, denn eine braune Flüssigkeit kam ihm aus dem Mund, floß über den Schlüssel und tropfte auf den Boden. „Hören Sie nur", sagte der Prokurist im Nebenzimmer, „er dreht den Schlüssel um." Das war für Gregor eine große Aufmunterung; aber alle hätten ihm zurufen sollen, auch der Vater und die Mutter: „Frisch, Gregor", hätten sie rufen sollen, „immer nur heran, fest an das Schloß heran!" Und in der Vorstellung, daß alle seine Bemühungen mit Spannung verfolgten, verbiß er sich mit allem, was er an Kraft aufbringen konnte, besinnungslos in den Schlüssel. Je nach dem Fortschreiten der Drehung des Schlüssels umtanzte er das Schloß; hielt sich jetzt nur noch mit dem Munde aufrecht, und je nach Bedarf hing er sich an den Schlüssel oder drückte ihn dann wieder nieder mit der ganzen Last seines Körpers. Der hellere Klang des endlich zurückschnappenden Schlosses erweckte Gregor förmlich. Aufatmend sagte er sich: „Ich habe also den Schlosser nicht gebraucht", und legte den Kopf auf die Klinke, um die Türe gänzlich zu öffnen.

Da er die Türe auf diese Weise öffnen mußte, war sie eigentlich schon recht weit geöffnet, und er selbst noch nicht zu sehen. Er mußte sich erst langsam um den einen Türflügel herumdrehen, und zwar sehr vorsichtig, wenn er nicht gerade vor dem Eintritt ins Zimmer plump auf den Rücken fallen wollte. Er war noch mit jener schwierigen Bewegung beschäftigt und hatte nicht Zeit, auf anderes zu achten, da hörte er schon den Prokuristen ein lautes „Oh!" ausstoßen – es klang, wie wenn der Wind saust – und nun sah er ihn auch, wie er, der der Nächste an der Türe war, die Hand gegen den offenen Mund drückte und langsam zurückwich, als vertreibe ihn eine unsichtbare, gleichmäßig fortwirkende Kraft. Die Mutter – sie stand hier trotz der Anwesenheit des Prokuristen mit von der Nacht her noch aufgelösten, hoch sich sträubenden Haaren – sah zuerst mit gefalteten Händen den Vater an, ging dann zwei Schritte zu Gregor hin und fiel inmitten ihrer rings um sie herum sich ausbreitenden Röcke nieder, das Gesicht ganz unauffindbar zu ihrer Brust gesenkt. Der Vater ballte mit feindseligem Ausdruck die Faust, als wolle er Gregor in sein Zimmer zurückstoßen, sah sich dann unsicher im Wohnzimmer um, beschattete dann mit den Händen die Augen und weinte, daß sich seine mächtige Brust schüttelte.

Gregor trat nun gar nicht in das Zimmer, sondern lehnte sich von innen an den festgeriegelten Türflügel, so daß sein Leib nur zur Hälfte und darüber der seitlich geneigte Kopf zu sehen war, mit dem er zu den anderen hinüberlugte. Es war inzwischen viel heller geworden; klar stand auf der anderen Straßenseite ein Ausschnitt des gegenüberliegenden, endlosen, grauschwarzen Hauses – es war ein Krankenhaus – mit seinen hart die Front durchbrechenden regelmäßigen Fenstern; der Regen fiel noch nieder, aber nur mit großen, einzeln sichtbaren und förmlich auch einzelnweise auf die Erde hinuntergeworfenen Tropfen. Das Frühstücksgeschirr stand in überreicher Zahl auf dem Tisch, denn für den Vater war das Frühstück die wichtigste Mahlzeit des Tages, die er bei der Lektüre verschiedener Zeitungen stundenlang hinzog. Gerade an der gegenüberliegenden Wand hing eine Photographie Gregors aus seiner Militärzeit, die ihn als Leutnant darstellte, wie er, die Hand am Degen, sorglos lächelnd, Respekt für seine Haltung und Uniform verlangte. Die Tür zum Vorzimmer war geöffnet, und man sah, da auch die Wohnungstür offen war, auf den Vorplatz der Wohnung hinaus und auf den Beginn der abwärts führenden Treppe.

„Nun", sagte Gregor und war sich dessen wohl bewußt, daß er der einzige war, der die Ruhe bewahrt hatte, „ich werde mich gleich anziehen, die Kollektion zusammenpacken und wegfahren. Wollt Ihr, wollt Ihr mich wegfahren lassen? Nun, Herr Prokurist, Sie sehen, ich bin nicht starrköpfig und ich arbeite gern; das Reisen ist beschwerlich, aber ich könnte ohne das Reisen nicht leben. Wohin gehen Sie denn, Herr Prokurist? Ins Geschäft? Ja? Werden Sie alles wahrheitsgetreu berichten? Man kann im Augenblick unfähig sein zu arbeiten, aber dann ist gerade der richtige Zeitpunkt, sich an die früheren Leistungen zu erinnern und zu bedenken, daß man später, nach Beseitigung des Hindernisses, gewiß desto fleißiger und gesammelter arbeiten wird. Ich bin ja dem Herrn Chef so sehr verpflichtet, das wissen Sie doch recht gut. Andererseits habe ich die Sorge um meine Eltern und die Schwester. Ich bin in der Klemme, ich werde mich aber auch wieder herausarbeiten. Machen Sie es mir aber nicht schwieriger, als es schon ist. Halten Sie im Geschäft meine Partei! Man liebt den Reisenden nicht, ich weiß. Man denkt, er verdient ein Heidengeld und führt dabei ein schönes Leben. Man hat eben keine besondere Veranlassung, dieses Vorurteil besser zu durchdenken. Sie aber, Herr Prokurist, Sie haben einen besseren Überblick über die Verhältnisse als das sonstige Personal, ja sogar, ganz im Vertrauen gesagt, einen besseren Überblick als der Herr Chef selbst, der in seiner Eigenschaft als Unternehmer sich in seinem Urteil leicht zu Ungunsten eines Angestellten beirren läßt. Sie wissen auch sehr wohl, daß der Reisende, der fast das ganze Jahr außerhalb des Geschäftes ist, so leicht ein Opfer von Klatschereien, Zufälligkeiten und grundlosen Beschwerden werden kann, gegen die sich zu wehren ihm ganz unmöglich ist, da er von ihnen meistens gar nichts erfährt und nur dann, wenn er erschöpft eine Reise beendet hat, zu Hause die schlimmen, auf ihre Ursachen hin nicht mehr zu durchschauenden Folgen am eigenen Leibe zu spüren bekommt. Herr Prokurist, gehen Sie nicht weg, ohne mir ein Wort gesagt zu haben, das mir zeigt, daß Sie mir wenigstens zu einem kleinen Teil recht geben!"

Aber der Prokurist hatte sich schon bei den ersten Worten Gregors abgewendet, und nur über die zuckende Schulter hinweg sah er mit aufgeworfenen

Lippen nach Gregor zurück. Und während Gregors Rede stand er keinen Augenblick still, sondern verzog sich, ohne Gregor aus den Augen zu lassen, gegen die Tür, aber ganz allmählich, als bestehe ein geheimes Verbot, das Zimmer zu verlassen. Schon war er im Vorzimmer, und nach der plötzlichen Bewegung, mit der er zum letztenmal den Fuß aus dem Wohnzimmer zog, hätte man glauben können, er habe sich soeben die Sohle verbrannt. Im Vorzimmer aber streckte er die rechte Hand weit von sich zur Treppe hin, als warte dort auf ihn eine geradezu überirdische Erlösung.

Gregor sah ein, daß er den Prokuristen in dieser Stimmung auf keinen Fall weggehen lassen dürfe, wenn dadurch seine Stellung im Geschäft nicht aufs äußerste gefährdet werden sollte. Die Eltern verstanden das alles nicht so gut; sie hatten sich in den langen Jahren die Überzeugung gebildet, daß Gregor in diesem Geschäft für sein Leben versorgt war, und hatten außerdem jetzt mit den augenblicklichen Sorgen so viel zu tun, daß ihnen jede Voraussicht abhanden gekommen war. Aber Gregor hatte diese Voraussicht. Der Prokurist mußte gehalten, beruhigt, überzeugt und schließlich gewonnen werden; die Zukunft Gregors und seiner Familie hing doch davon ab! Wäre doch die Schwester hier gewesen! Sie war klug; sie hatte schon geweint, als Gregor noch ruhig auf dem Rücken lag. Und gewiß hätte der Prokurist, dieser Damenfreund, sich von ihr lenken lassen; sie hätte die Wohnungstür zugemacht und ihm im Vorzimmer den Schrecken ausgeredet. Aber die Schwester war eben nicht da, Gregor selbst mußte handeln. Und ohne daran zu denken, daß er seine gegenwärtigen Fähigkeiten, sich zu bewegen, noch gar nicht kannte, ohne auch daran zu denken, daß seine Rede möglicher- ja wahrscheinlicherweise wieder nicht verstanden worden war, verließ er den Türflügel; schob sich durch die Öffnung; wollte zum Prokuristen hingehen, der sich schon am Geländer des Vorplatzes lächerlicherweise mit beiden Händen festhielt; fiel aber sofort, nach einem Halt suchend, mit einem kleinen Schrei auf seine vielen Beinchen nieder. Kaum war das geschehen, fühlte er zum erstenmal an diesem Morgen ein körperliches Wohlbehagen; die Beinchen hatten festen Boden unter sich; sie gehorchten vollkommen, wie er zu seiner Freude merkte; strebten sogar danach, ihn fortzutragen, wohin er wollte; und schon glaubte er, die endgültige Besserung alles Leidens stehe unmittelbar bevor. Aber im gleichen Augenblick, als er da schaukelnd vor verhaltener Bewegung, gar nicht weit von seiner Mutter entfernt, ihr gerade gegenüber auf dem Boden lag, sprang diese, die doch so ganz in sich versunken schien, mit einemmale in die Höhe, die Arme weit ausgestreckt, die Finger gespreizt, rief: „Hilfe, um Gottes willen Hilfe!", hielt den Kopf geneigt, als wolle sie Gregor besser sehen, lief aber, im Widerspruch dazu, sinnlos zurück; hatte vergessen, daß hinter ihr der gedeckte Tisch stand; setzte sich, als sie bei ihm angekommen war, wie in Zerstreutheit, eilig auf ihn; und schien gar nicht zu merken, daß neben ihr aus der umgeworfenen großen Kanne der Kaffee in vollem Strome auf den Teppich sich ergoß.

„Mutter, Mutter", sagte Gregor leise und sah zu ihr hinauf. Der Prokurist war ihm für einen Augenblick ganz aus dem Sinn gekommen; dagegen konnte er sich nicht versagen, im Anblick des fließenden Kaffees mehrmals mit den Kiefern ins Leere zu schnappen. Darüber schrie die Mutter neuerdings auf, flüchtete vom Tisch und fiel dem ihr entgegeneilenden Vater

in die Arme. Aber Gregor hatte jetzt keine Zeit für
seine Eltern; der Prokurist war schon auf der Treppe;
das Kinn auf dem Geländer, sah er noch zum letzten
Male zurück. Gregor nahm einen Anlauf, um ihn
möglichst sicher einzuholen; der Prokurist mußte etwas ahnen, denn er machte einen Sprung über meh-
rere Stufen und verschwand; „Huh!“ aber schrie er
noch, es klang durchs ganze Treppenhaus. Leider
schien nun auch diese Flucht des Prokuristen den
Vater, der bisher verhältnismäßig gefaßt gewesen war,
völlig zu verwirren, denn statt selbst dem Prokuristen
nachzulaufen oder wenigstens Gregor in der Verfolgung nicht zu hindern, packte er mit der Rechten
den Stock des Prokuristen, den dieser mit Hut und
Überzieher auf einem Sessel zurückgelassen hatte,
holte mit der Linken eine große Zeitung vom Tisch
und machte sich unter Füßestampfen daran, Gregor
durch Schwenken des Stockes und der Zeitung in
sein Zimmer zurückzutreiben. Kein Bitten Gregors
half, kein Bitten wurde auch verstanden, er mochte
den Kopf noch so demütig drehen, der Vater stampf-
te nur stärker mit den Füßen. Drüben hatte die
Mutter trotz des kühlen Wetters ein Fenster aufgerissen, und hinausgelehnt drückte sie ihr Gesicht weit
außerhalb des Fensters in ihre Hände. Zwischen
Gasse und Treppenhaus entstand eine starke Zugluft,
die Fenstervorhänge flogen auf, die Zeitungen auf
dem Tische rauschten, einzelne Blätter wehten über
den Boden hin. Unerbittlich drängte der Vater und
stieß Zischlaute aus, wie ein Wilder. Nun hatte aber
Gregor noch gar keine Übung im Rückwärtsgehen,
es ging wirklich sehr langsam. Wenn sich Gregor nur
hätte umdrehen dürfen, er wäre gleich in seinem
Zimmer gewesen, aber er fürchtete sich, den Vater
durch die zeitraubende Umdrehung ungeduldig zu

machen, und jeden Augenblick drohte ihm doch von dem Stock in des Vaters Hand der tödliche Schlag auf den Rücken oder auf den Kopf. Endlich aber blieb Gregor doch nichts anderes übrig, denn er merkte mit Entsetzen, daß er im Rückwärtsgehen nicht einmal die Richtung einzuhalten verstand; und so begann er, unter unaufhörlichen ängstlichen Seitenblicken nach dem Vater, sich nach Möglichkeit rasch, in Wirklichkeit aber doch nur sehr langsam umzudrehen. Vielleicht merkte der Vater seinen guten Willen, denn er störte ihn hierbei nicht, sondern dirigierte sogar hie und da die Drehbewegung von der Ferne mit der Spitze seines Stockes. Wenn nur nicht dieses unerträgliche Zischen des Vaters gewesen wäre! Gregor verlor darüber ganz den Kopf. Er war schon fast ganz umgedreht, als er sich, immer auf dieses Zischen horchend, sogar irrte und sich wieder ein Stück zurückdrehte. Als er aber endlich glücklich mit dem Kopf vor der Türöffnung war, zeigte es sich, daß sein Körper zu breit war, um ohne weiteres durchzukommen. Dem Vater fiel es natürlich in seiner gegenwärtigen Verfassung auch nicht entfernt ein, etwa den anderen Türflügel zu öffnen, um für Gregor einen genügenden Durchgang zu schaffen. Seine fixe Idee war bloß, daß Gregor so rasch als möglich in sein Zimmer müsse. Niemals hätte er auch die umständlichen Vorbereitungen gestattet, die Gregor brauchte, um sich aufzurichten und vielleicht auf diese Weise durch die Tür zu kommen. Vielmehr trieb er, als gäbe es kein Hindernis, Gregor jetzt unter besonderem Lärm vorwärts, es klang schon hinter Gregor gar nicht mehr wie die Stimme bloß eines einzigen Vaters; nun gab es wirklich keinen Spaß mehr, und Gregor drängte sich – geschehe was wolle – in die Tür. Die eine Seite seines Körpers hob sich,

er lag schief in der Türöffnung, seine eine Flanke war
ganz wundgerieben, an der weißen Tür blieben häßliche Flecken, bald steckte er fest und hätte sich allein
nicht mehr rühren können, die Beinchen auf der einen Seite hingen zitternd oben in der Luft, die auf der
anderen waren schmerzhaft zu Boden gedrückt – da
gab ihm der Vater von hinten einen jetzt wahrhaftig
erlösenden starken Stoß, und er flog, heftig blutend,
weit in sein Zimmer hinein. Die Tür wurde noch mit
dem Stock zugeschlagen, dann war es endlich still.

*

II

Erst in der Abenddämmerung erwachte Gregor aus seinem schweren ohnmachtsähnlichen Schlaf. Er wäre gewiß nicht viel später auch ohne Störung erwacht, denn er fühlte sich genügend ausgeruht und ausgeschlafen, doch schien es ihm, als hätte ihn ein flüchtiger Schritt und ein vorsichtiges Schließen der zum Vorzimmer führenden Tür geweckt. Der Schein der elektrischen Straßenlampen lag bleich hier und da auf der Zimmerdecke und auf den höheren Teilen der Möbel, aber unten bei Gregor war es finster. Langsam schob er sich, noch ungeschickt mit seinen Fühlern tastend, die er erst jetzt schätzen lernte, zur Türe hin, um nachzusehen, was dort geschehen war. Seine linke Seite schien eine einzige lange, unangenehm spannende Narbe, und er mußte auf seinen zwei Beinreihen regelrecht hinken. Ein Beinchen war übrigens im Laufe der vormittägigen Vorfälle schwer verletzt worden – es war fast ein Wunder, daß nur eines verletzt worden war – und schleppte leblos nach.

Erst bei der Tür merkte er, was ihn dorthin eigentlich gelockt hatte; es war der Geruch von etwas Eßbarem gewesen. Denn dort stand ein Napf mit süßer Milch gefüllt, in der kleine Schnitten von Weißbrot schwammen. Fast hätte er vor Freude gelacht, denn er hatte noch größeren Hunger als am Morgen, und gleich tauchte er seinen Kopf fast bis über die Augen in die Milch hinein. Aber bald zog er ihn enttäuscht wieder zurück; nicht nur, daß ihm das Essen wegen seiner heiklen linken Seite Schwierigkeiten machte – und er konnte nur essen, wenn der ganze Körper schnaufend mitarbeitete –, so schmeckte ihm

überdies die Milch, die sonst sein Lieblingsgetränk
war, und die ihm gewiß die Schwester deshalb her-
eingestellt hatte, gar nicht, ja er wandte sich fast mit
Widerwillen von dem Napf ab und kroch in die
Zimmermitte zurück.

Im Wohnzimmer war, wie Gregor durch die Türspalte sah, das Gas angezündet, aber während sonst
zu dieser Tageszeit der Vater seine nachmittags er-
scheinende Zeitung der Mutter und manchmal auch
der Schwester mit erhobener Stimme vorzulesen
pflegte, hörte man jetzt keinen Laut. Nun, vielleicht
war dieses Vorlesen, von dem ihm die Schwester
immer erzählte und schrieb, in der letzten Zeit überhaupt aus der Übung gekommen. Aber auch ringsherum war es so still, trotzdem doch gewiß die
Wohnung nicht leer war. „Was für ein stilles Leben
die Familie doch führte", sagte sich Gregor und fühlte, während er starr vor sich ins Dunkle sah, einen
großen Stolz darüber, daß er seinen Eltern und seiner
Schwester ein solches Leben in einer so schönen
Wohnung hatte verschaffen können. Wie aber, wenn
jetzt alle Ruhe, aller Wohlstand, alle Zufriedenheit
ein Ende mit Schrecken nehmen sollten? Um sich
nicht in solche Gedanken zu verlieren, setzte sich
Gregor lieber in Bewegung und kroch im Zimmer
auf und ab.

Einmal während des langen Abends wurde die eine
Seitentür und einmal die andere bis zu einer kleinen
Spalte geöffnet und rasch wieder geschlossen; jemand
hatte wohl das Bedürfnis hereinzukommen, aber auch
wieder zu viele Bedenken. Gregor machte nun unmittelbar bei der Wohnzimmertür halt, entschlossen,
den zögernden Besucher doch irgendwie hereinzu-
bringen oder doch wenigstens zu erfahren, wer es sei;
aber nun wurde die Tür nicht mehr geöffnet und

Gregor wartete vergebens. Früh, als die Türen versperrt waren, hatten alle zu ihm hereinkommen wollen, jetzt, da er die eine Tür geöffnet hatte und die anderen offenbar während des Tages geöffnet worden waren, kam keiner mehr, und die Schlüssel steckten nun auch von außen.

Spät erst in der Nacht wurde das Licht im Wohnzimmer ausgelöscht, und nun war leicht festzustellen, daß die Eltern und die Schwester so lange wachgeblieben waren, denn wie man genau hören konnte, entfernten sich jetzt alle drei auf den Fußspitzen. Nun kam gewiß bis zum Morgen niemand mehr zu Gregor herein; er hatte also eine lange Zeit, um ungestört zu überlegen, wie er sein Leben jetzt neu ordnen sollte. Aber das hohe freie Zimmer, in dem er gezwungen war, flach auf dem Boden zu liegen, ängstigte ihn, ohne daß er die Ursache herausfinden konnte, denn es war ja sein seit fünf Jahren von ihm bewohntes Zimmer – und mit einer halb unbewußten Wendung und nicht ohne eine leichte Scham eilte er unter das Kanapee, wo er sich, trotzdem sein Rücken ein wenig gedrückt wurde und trotzdem er den Kopf nicht mehr erheben konnte, gleich sehr behaglich fühlte und nur bedauerte, daß sein Körper zu breit war, um vollständig unter dem Kanapee untergebracht zu werden.

Dort blieb er die ganze Nacht, die er zum Teil im Halbschlaf, aus dem ihn der Hunger immer wieder aufschreckte, verbrachte, zum Teil aber in Sorgen und undeutlichen Hoffnungen, die aber alle zu dem Schlusse führten, daß er sich vorläufig ruhig verhalten und durch Geduld und größte Rücksichtnahme der Familie die Unannehmlichkeiten erträglich machen müsse, die er ihr in seinem gegenwärtigen Zustand nun einmal zu verursachen gezwungen war.

Schon am frühen Morgen, es war fast noch Nacht, hatte Gregor Gelegenheit, die Kraft seiner eben gefaßten Entschlüsse zu prüfen, denn vom Vorzimmer her öffnete die Schwester, fast völlig angezogen, die Tür und sah mit Spannung herein. Sie fand ihn nicht gleich, aber als sie ihn unter dem Kanapee bemerkte – Gott, er mußte doch irgendwo sein, er hatte doch nicht wegfliegen können –, erschrak sie so sehr, daß sie, ohne sich beherrschen zu können, die Tür von außen wieder zuschlug. Aber als bereue sie ihr Benehmen, öffnete sie die Tür sofort wieder und trat, als sei sie bei einem Schwerkranken oder gar bei einem Fremden, auf den Fußspitzen herein. Gregor hatte den Kopf bis knapp zum Rande des Kanapees vorgeschoben und beobachtete sie. Ob sie wohl bemerken würde, daß er die Milch stehengelassen hatte, und zwar keineswegs aus Mangel an Hunger, und ob sie eine andere Speise hereinbringen würde, die ihm besser entsprach? Täte sie es nicht von selbst, er wollte lieber verhungern, als sie darauf aufmerksam machen, trotzdem es ihn eigentlich ungeheuer drängte, unterm Kanapee vorzuschießen, sich der Schwester zu Füßen zu werfen und sie um irgendetwas Gutes zum Essen zu bitten. Aber die Schwester bemerkte sofort mit Verwunderung den noch vollen Napf, aus dem nur ein wenig Milch ringsherum verschüttet war, sie hob ihn gleich auf, zwar nicht mit den bloßen Händen, sondern mit einem Fetzen, und trug ihn hinaus. Gregor war äußerst neugierig, was sie zum Ersatze bringen würde, und er machte sich die verschiedensten Gedanken darüber. Niemals aber hätte er erraten können, was die Schwester in ihrer Güte wirklich tat. Sie brachte ihm, um seinen Geschmack zu prüfen, eine ganze Auswahl, alles auf einer alten Zeitung ausgebreitet. Da war altes halbverfaultes Gemüse;

Knochen vom Nachtmahl her, die von festgeworde-
ner weißer Soße umgeben waren; ein paar Rosinen
und Mandeln; ein Käse, den Gregor vor zwei Tagen
für ungenießbar erklärt hatte; ein trockenes Brot, ein
mit Butter beschmiertes und gesalzenes Brot. Außerdem stellte sie zu dem allen noch den wahrscheinlich
ein für allemal für Gregor bestimmten Napf, in den
sie Wasser gegossen hatte. Und aus Zartgefühl, da sie
wußte, daß Gregor vor ihr nicht essen würde, ent-
fernte sie sich eiligst und drehte sogar den Schlüssel
um, damit nur Gregor merken könne, daß er es sich
so behaglich machen dürfe, wie er wolle. Gregors
Beinchen schwirrten, als es jetzt zum Essen ging. Seine
Wunden mußten übrigens auch schon vollständig
geheilt sein, er fühlte keine Behinderung mehr, er
staunte darüber und dachte daran, wie er vor mehr
als einem Monat sich mit dem Messer ganz wenig in
den Finger geschnitten, und wie ihm diese Wunde
noch vorgestern genug weh getan hatte. „Sollte ich
jetzt weniger Feingefühl haben?" dachte er und saugte
schon gierig an dem Käse, zu dem es ihn vor allen
anderen Speisen sofort und nachdrücklich gezogen
hatte. Rasch hintereinander und mit vor Befriedigung
tränenden Augen verzehrte er den Käse, das Gemüse
und die Soße; die frischen Speisen dagegen schmeck-
ten ihm nicht, er konnte nicht einmal ihren Geruch
vertragen und schleppte sogar die Sachen, die er essen
wollte, ein Stückchen weiter weg. Er war schon längst
mit allem fertig und lag nur noch faul auf der gleichen Stelle, als die Schwester zum Zeichen, daß er
sich zurückziehen solle, langsam den Schlüssel umdrehte. Das schreckte ihn sofort auf, trotzdem er
schon fast schlummerte, und er eilte wieder unter das
Kanapee. Aber es kostete ihn große Selbstüberwin-
dung, auch nur die kurze Zeit, während welcher die

Schwester im Zimmer war, unter dem Kanapee zu bleiben, denn von dem reichlichen Essen hatte sich sein Leib ein wenig gerundet und er konnte dort in der Enge kaum atmen. Unter kleinen Erstickungsanfällen sah er mit etwas hervorgequollenen Augen zu, wie die nichtsahnende Schwester mit einem Besen nicht nur die Überbleibsel zusammenkehrte, sondern selbst die von Gregor gar nicht berührten Speisen, als seien also auch diese nicht mehr zu gebrauchen, und wie sie alles hastig in einen Kübel schüttete, den sie mit einem Holzdeckel schloß, worauf sie alles hinaustrug. Kaum hatte sie sich umgedreht, zog sich schon Gregor unter dem Kanapee hervor und streckte und blähte sich.

Auf diese Weise bekam nun Gregor täglich sein Essen, einmal am Morgen, wenn die Eltern und das Dienstmädchen noch schliefen, das zweitemal nach dem allgemeinen Mittagessen, denn dann schliefen die Eltern gleichfalls noch ein Weilchen, und das Dienstmädchen wurde von der Schwester mit irgendeiner Besorgung weggeschickt. Gewiß wollten auch sie nicht, daß Gregor verhungere, aber vielleicht hätten sie es nicht ertragen können, von seinem Essen mehr als durch Hörensagen zu erfahren, vielleicht wollte die Schwester ihnen auch eine möglicherweise nur kleine Trauer ersparen, denn tatsächlich litten sie ja gerade genug.

Mit welchen Ausreden man an jenem ersten Vormittag den Arzt und den Schlosser wieder aus der Wohnung geschafft hatte, konnte Gregor gar nicht erfahren, denn da er nicht verstanden wurde, dachte niemand daran, auch die Schwester nicht, daß er die anderen verstehen könne, und so mußte er sich, wenn die Schwester in seinem Zimmer war, damit begnügen, nur hier und da ihre Seufzer und Anrufe

38

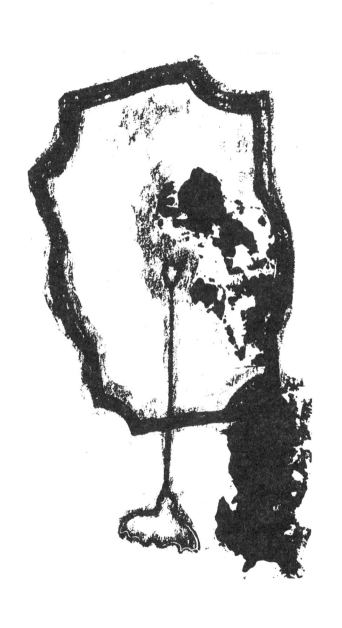

der Heiligen zu hören. Erst später, als sie sich ein wenig an alles gewöhnt hatte – von vollständiger Gewöhnung konnte natürlich niemals die Rede sein –, erhaschte Gregor manchmal eine Bemerkung, die freundlich gemeint war oder so gedeutet werden konnte. „Heute hat es ihm aber geschmeckt", sagte sie, wenn Gregor unter dem Essen tüchtig aufgeräumt hatte, während sie im gegenteiligen Fall, der sich allmählich immer häufiger wiederholte, fast traurig zu sagen pflegte: „Nun ist wieder alles stehengeblieben."

Während aber Gregor unmittelbar keine Neuigkeit erfahren konnte, erhorchte er manches aus den Nebenzimmern, und wo er nur einmal Stimmen hörte, lief er gleich zu der betreffenden Tür und drückte sich mit ganzem Leib an sie. Besonders in der ersten Zeit gab es kein Gespräch, das nicht irgendwie, wenn auch nur im geheimen, von ihm handelte. Zwei Tage lang waren bei allen Mahlzeiten Beratungen darüber zu hören, wie man sich jetzt verhalten solle; aber auch zwischen den Mahlzeiten sprach man über das gleiche Thema, denn immer waren zumindest zwei Familienmitglieder zu Hause, da wohl niemand allein zu Hause bleiben wollte und man die Wohnung doch auf keinen Fall gänzlich verlassen konnte. Auch hatte das Dienstmädchen gleich am ersten Tag – es war nicht ganz klar, was und wieviel sie von dem Vorgefallenen wußte – kniefällig die Mutter gebeten, sie sofort zu entlassen, und als sie sich eine Viertelstunde danach verabschiedete, dankte sie für die Entlassung unter Tränen, wie für die größte Wohltat, die man ihr erwiesen hatte, und gab, ohne daß man es von ihr verlangte, einen fürchterlichen Schwur ab, niemandem auch nur das Geringste zu verraten.

Nun mußte die Schwester im Verein mit der Mutter auch kochen; allerdings machte das nicht viel Mühe, denn man aß fast nichts. Immer wieder hörte Gregor, wie der eine den anderen vergebens zum Essen aufforderte und keine andere Antwort bekam, als: „Danke, ich habe genug" oder etwas Ähnliches. Getrunken wurde vielleicht auch nichts. Öfters fragte die Schwester den Vater, ob er Bier haben wolle, und herzlich erbot sie sich, es selbst zu holen, und als der Vater schwieg, sagte sie, um ihm jedes Bedenken zu nehmen, sie könne auch die Hausmeisterin darum schicken, aber dann sagte der Vater schließlich ein großes „Nein", und es wurde nicht mehr davon gesprochen.

Schon im Laufe des ersten Tages legte der Vater die ganzen Vermögensverhältnisse und Aussichten sowohl der Mutter, als auch der Schwester dar. Hie und da stand er vom Tische auf und holte aus seiner kleinen Wertheimkassa, die er aus dem vor fünf Jahren erfolgten Zusammenbruch seines Geschäftes gerettet hatte, irgendeinen Beleg oder irgendein Vormerkbuch. Man hörte, wie er das komplizierte Schloß aufsperrte und nach Entnahme des Gesuchten wieder verschloß. Diese Erklärungen des Vaters waren zum Teil das erste Erfreuliche, was Gregor seit seiner Gefangenschaft zu hören bekam. Er war der Meinung gewesen, daß dem Vater von jenem Geschäft her nicht das Geringste übriggeblieben war, zumindest hatte ihm der Vater nichts Gegenteiliges gesagt, und Gregor allerdings hatte ihn auch nicht darum gefragt. Gregors Sorge war damals nur gewesen, alles daranzusetzen, um die Familie das geschäftliche Unglück, das alle in eine vollständige Hoffnungslosigkeit gebracht hatte, möglichst rasch vergessen zu lassen. Und so hatte er damals mit ganz besonderem

Feuer zu arbeiten angefangen und war fast über Nacht aus einem kleinen Kommis ein Reisender geworden, der natürlich ganz andere Möglichkeiten des Geldverdienens hatte, und dessen Arbeitserfolge sich sofort in Form der Provision zu Bargeld verwandelten, das der erstaunten und beglückten Familie zu Hause auf den Tisch gelegt werden konnte. Es waren schöne Zeiten gewesen, und niemals nachher hatten sie sich, wenigstens in diesem Glanze, wiederholt, trotzdem Gregor später so viel Geld verdiente, daß er den Aufwand der ganzen Familie zu tragen imstande war und auch trug. Man hatte sich eben daran gewöhnt, sowohl die Familie als auch Gregor, man nahm das Geld dankbar an, er lieferte es gern ab, aber eine besondere Wärme wollte sich nicht mehr ergeben. Nur die Schwester war Gregor doch noch nahe geblieben, und es war sein geheimer Plan, sie, die zum Unterschied von Gregor Musik sehr liebte und rührend Violine zu spielen verstand, nächstes Jahr, ohne Rücksicht auf die großen Kosten, die das verursachen mußte, und die man schon auf andere Weise hereinbringen würde, auf das Konservatorium zu schicken. Öfters während der kurzen Aufenthalte Gregors in der Stadt wurde in den Gesprächen mit der Schwester das Konservatorium erwähnt, aber immer nur als schöner Traum, an dessen Verwirklichung nicht zu denken war, und die Eltern hörten nicht einmal diese unschuldigen Erwähnungen gern; aber Gregor dachte sehr bestimmt daran und beabsichtigte, es am Weihnachtsabend feierlich zu erklären.

Solche in seinem gegenwärtigen Zustand ganz nutzlose Gedanken gingen ihm durch den Kopf, während er dort aufrecht an der Türe klebte und horchte. Manchmal konnte er vor allgemeiner Müdigkeit gar nicht mehr zuhören und ließ den Kopf nachlässig gegen die Tür schlagen, hielt ihn aber sofort wieder fest, denn selbst das kleine Geräusch, das er damit verursacht hatte, war nebenan gehört worden und hatte alle verstummen lassen. „Was er nur wieder treibt", sagte der Vater nach einer Weile, offenbar zur Türe hingewendet, und dann erst wurde das unterbrochene Gespräch allmählich wieder aufgenommen.

Gregor erfuhr nun zur Genüge – denn der Vater pflegte sich in seinen Erklärungen öfters zu wiederholen, teils, weil er selbst sich mit diesen Dingen schon lange nicht beschäftigt hatte, teils auch, weil die Mutter nicht alles gleich beim ersten Mal verstand –, daß trotz allen Unglücks ein allerdings ganz kleines Vermögen aus der alten Zeit noch vorhanden war, das die nicht angerührten Zinsen in der Zwischenzeit ein wenig hatten anwachsen lassen. Außerdem aber war das Geld, das Gregor allmonatlich nach Hause gebracht hatte – er selbst hatte nur ein paar Gulden für sich behalten –, nicht vollständig aufgebraucht worden und hatte sich zu einem kleinen Kapital angesammelt. Gregor, hinter seiner Türe, nickte eifrig, erfreut über diese unerwartete Vorsicht und Sparsamkeit. Eigentlich hätte er ja mit diesen überschüssigen Geldern die Schuld des Vaters gegenüber dem Chef weiter abgetragen haben können, und jener Tag, an dem er diesen Posten hätte loswerden können, wäre weit näher gewesen, aber jetzt war es zweifellos besser so, wie es der Vater eingerichtet hatte.

Nun genügte dieses Geld aber ganz und gar nicht, um die Familie etwa von den Zinsen leben zu lassen; es genügte vielleicht, um die Familie ein, höchstens zwei Jahre zu erhalten, mehr war es nicht. Es war also bloß eine Summe, die man eigentlich nicht angreifen durfte, und die für den Notfall zurückgelegt werden mußte; das Geld zum Leben aber mußte man verdienen. Nun war aber der Vater ein zwar gesunder, aber alter Mann, der schon fünf Jahre nichts gearbeitet hatte und sich jedenfalls nicht viel zutrauen durfte; er hatte in diesen fünf Jahren, welche die ersten Ferien seines mühevollen und doch erfolglosen Lebens waren, viel Fett angesetzt und war dadurch recht schwerfällig geworden. Und die alte Mutter sollte nun vielleicht Geld verdienen, die an Asthma litt, der eine Wanderung durch die Wohnung schon Anstrengung verursachte, und die jeden zweiten Tag in Atembeschwerden auf dem Sofa beim offenen Fenster verbrachte? Und die Schwester sollte Geld verdienen, die noch ein Kind war mit ihren siebzehn Jahren, und der ihre bisherige Lebensweise so sehr zu gönnen war, die daraus bestanden hatte, sich nett zu kleiden, lange zu schlafen, in der Wirtschaft mitzuhelfen, an ein paar bescheidenen Vergnügungen sich zu beteiligen und vor allem Violine zu spielen? Wenn die Rede auf diese Notwendigkeit des Geldverdienens kam, ließ zuerst immer Gregor die Türe los und warf sich auf das neben der Tür befindliche kühle Ledersofa, denn ihm war ganz heiß vor Beschämung und Trauer.

Oft lag er dort die ganzen langen Nächte über, schlief keinen Augenblick und scharrte nur stundenlang auf dem Leder. Oder er scheute nicht die Mühe, einen Sessel zum Fenster zu schieben, dann die Fensterbrüstung hinaufzukriechen und, in den Sessel gestemmt, sich ans Fenster zu lehnen, offenbar nur in irgendeiner Erinnerung an das Befreiende, das früher für ihn darin gelegen war, aus dem Fenster zu schauen. Denn tatsächlich sah er von Tag zu Tag die auch nur ein wenig entfernten Dinge immer undeutlicher; das gegenüberliegende Krankenhaus, dessen nur allzu häufigen Anblick er früher verflucht hatte, bekam er überhaupt nicht mehr zu Gesicht, und wenn er nicht genau gewußt hätte, daß er in der stillen, aber völlig städtischen Charlottenstraße wohnte, hätte er glauben können, von seinem Fenster aus in eine Einöde zu schauen, in welcher der graue Himmel und die graue Erde ununterscheidbar sich vereinigten. Nur zweimal hatte die aufmerksame Schwester sehen müssen, daß der Sessel beim Fenster stand, als sie schon jedesmal, nachdem sie das Zimmer aufgeräumt hatte, den Sessel wieder genau zum Fenster hinschob, ja sogar von nun ab den inneren Fensterflügel offen ließ.

Hätte Gregor nur mit der Schwester sprechen und ihr für alles danken können, was sie für ihn machen mußte, er hätte ihre Dienste leichter ertragen; so aber litt er darunter. Die Schwester suchte freilich die Peinlichkeit des Ganzen möglichst zu verwischen, und je längere Zeit verging, desto besser gelang es ihr natürlich auch, aber auch Gregor durchschaute mit der Zeit alles viel genauer. Schon ihr Eintritt war für ihn schrecklich. Kaum war sie eingetreten, lief sie, ohne sich Zeit zu nehmen, die Tür zu schließen, so sehr sie sonst darauf achtete, jedem den Anblick von Gregors Zimmer zu ersparen, geradeaus zum Fenster und riß es, als ersticke sie fast, mit hastigen Händen auf, blieb auch, selbst wenn es noch so kalt war, ein Weilchen beim Fenster und atmete tief. Mit diesem Laufen und Lärmen erschreckte sie Gregor täglich zweimal; die ganze Zeit über zitterte er unter dem Kanapee und wußte doch sehr gut, daß sie ihn gewiß gerne damit verschont hätte, wenn es ihr nur möglich gewesen wäre, sich in einem Zimmer, in dem sich Gregor befand, bei geschlossenem Fenster aufzuhalten.

Einmal, es war wohl schon ein Monat seit Gregors Verwandlung vergangen, und es war doch schon für die Schwester kein besonderer Grund mehr, über Gregors Aussehen in Erstaunen zu geraten, kam sie ein wenig früher als sonst und traf Gregor noch an, wie er, unbeweglich und so recht zum Erschrecken aufgestellt, aus dem Fenster schaute. Es wäre für Gregor nicht unerwartet gewesen, wenn sie nicht eingetreten wäre, da er sie durch seine Stellung verhinderte, sofort das Fenster zu öffnen, aber sie trat nicht nur nicht ein, sie fuhr sogar zurück und schloß die Tür; ein Fremder hätte geradezu denken können, Gregor habe ihr aufgelauert und habe sie beißen wollen. Gregor versteckte sich natürlich sofort unter dem Kanapee, aber er mußte bis zum Mittag warten, ehe die Schwester wiederkam, und sie schien viel unruhiger als sonst. Er erkannte daraus, daß ihr sein Anblick noch immer unerträglich war und ihr auch weiterhin unerträglich bleiben müsse, und daß sie sich wohl sehr überwinden mußte, vor dem Anblick auch nur der kleinen Partie seines Körpers nicht davonzulaufen, mit der er unter dem Kanapee hervorragte. Um ihr auch diesen Anblick zu ersparen, trug er eines Tages auf seinem Rücken – er brauchte zu dieser Arbeit vier Stunden – das Leintuch auf das Kanapee und ordnete es in einer solchen Weise an, daß er nun gänzlich verdeckt war, und daß die Schwester, selbst wenn sie sich bückte, ihn nicht sehen konnte. Wäre dieses Leintuch ihrer Meinung nach nicht nötig gewesen, dann hätte sie es ja entfernen können, denn daß es nicht zum Vergnügen Gregors gehören konnte, sich so ganz und gar abzusperren, war doch klar genug, aber sie ließ das Leintuch, so wie es war, und Gregor glaubte sogar einen dankbaren Blick erhascht zu haben, als er einmal mit dem Kopf vorsichtig das Leintuch ein wenig lüftete, um nachzusehen, wie die Schwester die neue Einrichtung aufnahm.

In den ersten vierzehn Tagen konnten es die Eltern nicht über sich bringen, zu ihm hereinzukommen, und er hörte oft, wie sie die jetzige Arbeit der Schwester völlig anerkannten, während sie sich bisher häufig über die Schwester geärgert hatten, weil sie ihnen als ein etwas nutzloses Mädchen erschienen war. Nun aber warteten oft beide, der Vater und die Mutter, vor Gregors Zimmer, während die Schwester dort aufräumte, und kaum war sie herausgekommen, mußte sie ganz genau erzählen, wie es in dem Zimmer aussah, was Gregor gegessen hatte, wie er sich diesmal benommen hatte, und ob vielleicht eine kleine Besserung zu bemerken war. Die Mutter übrigens wollte verhältnismäßig bald Gregor besuchen, aber der Vater und die Schwester hielten sie zuerst mit Vernunftgründen zurück, denen Gregor sehr aufmerksam zuhörte, und die er vollständig billigte. Später aber mußte man sie mit Gewalt zurückhalten, und wenn sie dann rief: „Laßt mich doch zu Gregor, er ist ja mein unglücklicher Sohn! Begreift ihr es denn nicht, daß ich zu ihm muß?‟, dann dachte Gregor, daß es vielleicht doch gut wäre, wenn die Mutter hereinkäme, nicht jeden Tag natürlich, aber vielleicht einmal in der Woche; sie verstand doch alles viel besser als die Schwester, die trotz all ihrem Mute doch nur ein Kind war und im letzten Grunde vielleicht nur aus kindlichem Leichtsinn eine so schwere Aufgabe übernommen hatte.

Der Wunsch Gregors, die Mutter zu sehen, ging bald in Erfüllung. Während des Tages wollte Gregor schon aus Rücksicht auf seine Eltern sich nicht beim Fenster zeigen, kriechen konnte er aber auf den paar Quadratmetern des Fußbodens auch nicht viel, das ruhige Liegen ertrug er schon während der Nacht schwer, das Essen machte ihm bald nicht mehr das geringste Vergnügen, und so nahm er zur Zerstreuung die Gewohnheit an, kreuz und quer über Wände und Plafond zu kriechen. Besonders oben auf der Decke hing er gern; es war ganz anders, als das Liegen auf dem Fußboden; man atmete freier; ein leichtes Schwingen ging durch den Körper; und in der fast glücklichen Zerstreutheit, in der sich Gregor dort oben befand, konnte es geschehen, daß er zu seiner eigenen Überraschung sich losließ und auf den Boden klatschte. Aber nun hatte er natürlich seinen Körper ganz anders in der Gewalt als früher und beschädigte sich selbst bei einem so großen Falle nicht. Die Schwester nun bemerkte sofort die neue Unterhaltung, die Gregor für sich gefunden hatte – er hinterließ ja auch beim Kriechen hie und da Spuren seines Klebstoffes –, und da setzte sie es sich in den Kopf, Gregor das Kriechen in größtem Ausmaße zu ermöglichen und die Möbel, die es verhinderten, also vor allem den Kasten und den Schreibtisch, wegzuschaffen. Nun war sie aber nicht imstande, dies allein zu tun; den Vater wagte sie nicht um Hilfe zu bitten; das Dienstmädchen hätte ihr ganz gewiß nicht geholfen, denn dieses etwa sechzehnjährige Mädchen harrte zwar tapfer seit Entlassung der früheren Köchin aus, hatte aber um die Vergünstigung gebeten, die Küche unaufhörlich versperrt halten zu dürfen und nur auf besonderen Anruf öffnen zu müssen; so blieb der Schwester also nichts übrig, als einmal in Abwesenheit des Vaters die Mutter zu holen. Mit Ausrufen erregter Freude kam die Mutter auch heran, verstummte aber an der Tür vor Gregors Zimmer. Zuerst sah natürlich die Schwester nach, ob alles im Zimmer in Ordnung war; dann erst ließ sie die Mutter eintreten. Gregor hatte in größter Eile das Leintuch noch tiefer und mehr in Falten gezogen, das Ganze sah wirklich nur wie ein zufällig über das Kanapee geworfenes Leintuch aus. Gregor unterließ auch diesmal, unter dem Leintuch zu spionieren; er verzichtete darauf, die Mutter schon diesmal zu sehen, und war froh, daß sie nun doch gekommen war. „Komm nur, man sieht ihn nicht", sagte die Schwester, und offenbar führte sie die Mutter an der Hand. Gregor hörte nun, wie die zwei schwachen Frauen den immerhin schweren alten Kasten von seinem Platz rückten, und wie die Schwester immerfort den größten Teil der Arbeit für sich beanspruchte, ohne auf die Warnungen der Mutter zu hören, welche fürchtete, daß sie sich überanstrengen werde. Es dauerte sehr lange. Wohl nach schon viertelstündiger Arbeit sagte die Mutter, man solle den Kasten doch lieber hier lassen, denn erstens sei er zu schwer, sie würden vor Ankunft des Vaters nicht fertig werden und mit dem Kasten in der Mitte des Zimmers Gregor jeden Weg verrammeln, zweitens aber sei es doch gar nicht sicher, daß Gregor mit der Entfernung der Möbel ein Gefallen geschehe. Ihr scheine das Gegenteil der Fall zu sein; ihr bedrücke der Anblick der leeren Wand geradezu das Herz; und warum solle nicht auch Gregor diese Empfindung haben, da er doch an die Zimmermöbel längst gewöhnt sei und sich deshalb im leeren Zimmer verlassen fühlen werde. „Und ist es dann nicht so", schloß die Mutter ganz leise, wie sie überhaupt fast flüsterte, als wolle sie vermeiden, daß Gregor, dessen genauen Aufenthalt sie ja nicht kannte, auch nur den Klang der Stimme höre, denn daß er die Worte nicht verstand, davon war sie überzeugt, „und ist es nicht so, als ob wir durch die Entfernung der Möbel zeigten, daß wir jede Hoffnung auf Besserung aufgeben und ihn rücksichtslos sich selbst überlassen? Ich glaube, es wäre das beste, wir suchen das Zimmer genau in dem Zustand zu erhalten, in dem es früher war, damit Gregor, wenn er wieder zu uns zurückkommt, alles unverändert findet und umso leichter die Zwischenzeit vergessen kann."

Beim Anhören dieser Worte der Mutter erkannte Gregor, daß der Mangel jeder unmittelbaren menschlichen Ansprache, verbunden mit dem einförmigen Leben inmitten der Familie, im Laufe dieser zwei Monate seinen Verstand hatte verwirren müssen, denn anders konnte er es sich nicht erklären, daß er ernsthaft danach hatte verlangen können, daß sein Zimmer ausgeleert würde. Hatte er wirklich Lust, das warme, mit ererbten Möbeln gemütlich ausgestattete Zimmer in eine Höhle verwandeln zu lassen, in der er dann freilich nach allen Richtungen ungestört würde kriechen können, jedoch auch unter gleichzeitigem, schnellen, gänzlichen Vergessen seiner menschlichen Vergangenheit? War er doch jetzt schon nahe daran, zu vergessen, und nur die seit langem nicht gehörte Stimme der Mutter hatte ihn aufgerüttelt. Nichts sollte entfernt werden; alles mußte bleiben; die guten Einwirkungen der Möbel auf seinen Zustand konnte er nicht entbehren; und wenn die Möbel ihn hinderten, das sinnlose Herumkriechen zu betreiben, so war es kein Schaden, sondern ein großer Vorteil.

Aber die Schwester war leider anderer Meinung; sie hatte sich, allerdings nicht ganz unberechtigt, angewöhnt, bei Besprechung der Angelegenheiten Gregors als besonders Sachverständige gegenüber den Eltern aufzutreten, und so war auch jetzt der Rat der Mutter für die Schwester Grund genug, auf der Entfernung nicht nur des Kastens und des Schreibtisches, an die sie zuerst allein gedacht hatte, sondern auf der

Entfernung sämtlicher Möbel, mit Ausnahme des unentbehrlichen Kanapees, zu bestehen. Es war natürlich nicht nur kindlicher Trotz und das in der letzten Zeit so unerwartet und schwer erworbene Selbstvertrauen, das sie zu dieser Forderung bestimmte; sie hatte doch auch tatsächlich beobachtet, daß Gregor viel Raum zum Kriechen brauchte, dagegen die Möbel, soweit man sehen konnte, nicht im geringsten benützte. Vielleicht aber spielte auch der schwärmerische Sinn der Mädchen ihres Alters mit, der bei jeder Gelegenheit seine Befriedigung sucht, und durch den Grete jetzt sich dazu verlocken ließ, die Lage Gregors noch schreckenerregender machen zu wollen, um dann noch mehr als bis jetzt für ihn leisten zu können. Denn in einen Raum, in dem Gregor ganz allein die leeren Wände beherrschte, würde wohl kein Mensch außer Grete jemals einzutreten sich getrauen.

Und so ließ sie sich von ihrem Entschlusse durch die Mutter nicht abbringen, die auch in diesem Zimmer vor lauter Unruhe unsicher schien, bald verstummte und der Schwester nach Kräften beim Hinausschaffen des Kastens half. Nun, den Kasten konnte Gregor im Notfall noch entbehren, aber schon der Schreibtisch mußte bleiben. Und kaum hatten die Frauen mit dem Kasten, an den sie sich ächzend drückten, das Zimmer verlassen, als Gregor den Kopf unter dem Kanapee hervorstieß, um zu sehen, wie er vorsichtig und möglichst rücksichtsvoll eingreifen könnte. Aber zum Unglück war es gerade die Mutter, welche zuerst zurückkehrte, während Grete im Nebenzimmer den Kasten umfangen hielt und ihn allein hin und her schwang, ohne ihn natürlich von der Stelle zu bringen. Die Mutter aber war Gregors Anblick nicht gewöhnt, er hätte sie krank machen können, und so eilte Gregor erschrocken im

Rückwärtslauf bis an das andere Ende des Kanapees, konnte es aber nicht mehr verhindern, daß das Leintuch vorne ein wenig sich bewegte. Das genügte, um die Mutter aufmerksam zu machen. Sie stockte, stand einen Augenblick still und ging dann zu Grete zurück.

Trotzdem sich Gregor immer wieder sagte, daß ja nichts Außergewöhnliches geschehe, sondern nur ein paar Möbel umgestellt würden, wirkte doch, wie er sich bald eingestehen mußte, dieses Hin- und Hergehen der Frauen, ihre kleinen Zurufe, das Kratzen der Möbel auf dem Boden, wie ein großer, von allen Seiten genährter Trubel auf ihn, und er mußte sich, so fest er Kopf und Beine an sich zog und den Leib bis an den Boden drückte, unweigerlich sagen, daß er das Ganze nicht lange aushalten werde. Sie räumten ihm sein Zimmer aus; nahmen ihm alles, was ihm lieb war; den Kasten, in dem die Laubsäge und andere Werkzeuge lagen, hatten sie schon hinausgetragen; lockerten jetzt den schon im Boden fest eingegrabenen Schreibtisch, an dem er als Handelsakademiker, als Bürgerschüler, ja sogar schon als Volksschüler seine Aufgaben geschrieben hatte, – da hatte er wirklich keine Zeit mehr, die guten Absichten zu prüfen, welche die zwei Frauen hatten, deren Existenz er übrigens fast vergessen hatte, denn vor Erschöpfung arbeiteten sie schon stumm, und man hörte nur das schwere Tappen ihrer Füße.

Und so brach er denn hervor – die Frauen stützten sich gerade im Nebenzimmer an den Schreibtisch, um ein wenig zu verschnaufen –, wechselte viermal die Richtung des Laufes, er wußte wirklich nicht, was er zuerst retten sollte, da sah er an der im übrigen schon leeren Wand auffallend das Bild der in lauter Pelzwerk gekleideten Dame hängen, kroch eilends hinauf und preßte sich an das Glas, das ihn festhielt und seinem

heißen Bauch wohltat. Dieses Bild wenigstens, das
Gregor jetzt ganz verdeckte, würde nun gewiß nie-
mand wegnehmen. Er verdrehte den Kopf nach der
Tür des Wohnzimmers, um die Frauen bei ihrer
Rückkehr zu beobachten.

Sie hatten sich nicht viel Ruhe gegönnt und kamen schon wieder; Grete hatte den Arm um die
Mutter gelegt und trug sie fast. „Also was nehmen
wir jetzt?" sagte Grete und sah sich um. Da kreuzten
sich ihre Blicke mit denen Gregors an der Wand.
Wohl nur infolge der Gegenwart der Mutter behielt
sie ihre Fassung, beugte ihr Gesicht zur Mutter, um
diese vom Herumschauen abzuhalten, und sagte,
allerdings zitternd und unüberlegt: „Komm, wollen
wir nicht lieber auf einen Augenblick noch ins
Wohnzimmer zurückgehen?" Die Absicht Gretes war
für Gregor klar, sie wollte die Mutter in Sicherheit
bringen und dann ihn von der Wand hinunterjagen.
Nun, sie konnte es ja immerhin versuchen! Er saß
auf seinem Bild und gab es nicht her. Lieber würde
er Grete ins Gesicht springen.

Aber Gretes Worte hatten die Mutter erst recht
beunruhigt, sie trat zur Seite, erblickte den riesigen
braunen Fleck auf der geblümten Tapete, rief, ehe ihr
eigentlich zum Bewußtsein kam, daß das Gregor war,
was sie sah, mit schreiender, rauher Stimme: „Ach
Gott, ach Gott!" und fiel mit ausgebreiteten Armen,
als gebe sie alles auf, über das Kanapee hin und rührte
sich nicht. „Du, Gregor!" rief die Schwester mit erhobener Faust und eindringlichen Blicken. Es waren
seit der Verwandlung die ersten Worte, die sie unmittelbar an ihn gerichtet hatte. Sie lief ins Nebenzimmer,
um irgendeine Essenz zu holen, mit der sie die
Mutter aus ihrer Ohnmacht wecken könnte; Gregor
wollte auch helfen – zur Rettung des Bildes war noch

Zeit –; er klebte aber fest an dem Glas und mußte sich mit Gewalt losreißen; er lief dann auch ins Nebenzimmer, als könne er der Schwester irgendeinen Rat geben, wie in früherer Zeit; mußte dann aber untätig hinter ihr stehen; während sie in verschiedenen Fläschchen kramte, erschreckte sie noch, als sie sich umdrehte; eine Flasche fiel auf den Boden und zerbrach; ein Splitter verletzte Gregor im Gesicht, irgendeine ätzende Medizin umfloß ihn; Grete nahm nun, ohne sich länger aufzuhalten, soviel Fläschchen, als sie nur halten konnte, und rannte mit ihnen zur Mutter hinein; die Tür schlug sie mit dem Fuße zu. Gregor war nun von der Mutter abgeschlossen, die durch seine Schuld vielleicht dem Tode nahe war; die Tür durfte er nicht öffnen, wollte er die Schwester, die bei der Mutter bleiben mußte, nicht verjagen; er hatte jetzt nichts zu tun, als zu warten; und von Selbstvorwürfen und Besorgnis bedrängt, begann er zu kriechen, überkroch alles, Wände, Möbel und Zimmerdecke und fiel endlich in seiner Verzweiflung, als sich das ganze Zimmer schon um ihn zu drehen anfing, mitten auf den großen Tisch.

Es verging eine kleine Weile, Gregor lag matt da, ringsherum war es still, vielleicht war das ein gutes Zeichen. Da läutete es. Das Mädchen war natürlich in ihrer Küche eingesperrt und Grete mußte daher öffnen gehen. Der Vater war gekommen. „Was ist geschehen?" waren seine ersten Worte; Gretes Aussehen hatte ihm wohl alles verraten. Grete antwortete mit dumpfer Stimme, offenbar drückte sie ihr Gesicht an des Vaters Brust: „Die Mutter war ohnmächtig, aber es geht ihr schon besser. Gregor ist ausgebrochen." „Ich habe es ja erwartet", sagte der Vater, „ich habe es euch ja immer gesagt, aber ihr Frauen wollt nicht hören." Gregor war es klar, daß der Vater Gretes allzukurze Mitteilung schlecht gedeutet hatte und annahm, daß Gregor sich irgendeine Gewalttat habe zuschulden kommen lassen. Deshalb mußte Gregor den Vater jetzt zu besänftigen suchen, denn ihn aufzuklären hatte er weder Zeit noch Möglichkeit. Und so flüchtete er sich zur Tür seines Zimmers und drückte sich an sie, damit der Vater beim Eintritt vom Vorzimmer her gleich sehen könne, daß Gregor die beste Absicht habe, sofort in sein Zimmer zurückzukehren, und daß es nicht nötig sei, ihn zurückzutreiben, sondern daß man nur die Tür zu öffnen brauche, und gleich werde er verschwinden.

Aber der Vater war nicht in der Stimmung, solche Feinheiten zu bemerken; „Ah!" rief er gleich beim Eintritt in einem Tone, als sei er gleichzeitig wütend und froh. Gregor zog den Kopf von der Tür zurück und hob ihn gegen den Vater. So hatte er sich den Vater wirklich nicht vorgestellt, wie er jetzt dastand; allerdings hatte er in der letzten Zeit über dem neuartigen Herumkriechen versäumt, sich so wie früher um die Vorgänge in der übrigen Wohnung zu kümmern, und hätte eigentlich darauf gefaßt sein müssen, veränderte Verhältnisse anzutreffen. Trotzdem, trotzdem, war das noch der Vater? Der gleiche Mann, der müde im Bett vergraben lag, wenn früher Gregor zu einer Geschäftsreise ausgerückt war; der ihn an Abenden der Heimkehr im Schlafrock im Lehnstuhl empfangen hatte; gar nicht recht imstande war, aufzustehen, sondern zum Zeichen der Freude nur die Arme gehoben hatte, und der bei den seltenen gemeinsamen Spaziergängen an ein paar Sonntagen im Jahr und an den höchsten Feiertagen zwischen Gregor und der Mutter, die schon an und für sich langsam gingen, immer noch ein wenig langsamer, in seinen alten Mantel eingepackt, mit stets vorsichtig aufgesetztem Krückstock sich vorwärts arbeitete und, wenn er etwas sagen wollte, fast immer stillstand und seine Begleitung um sich versammelte? Nun aber war er recht gut aufgerichtet; in eine straffe blaue Uniform mit Goldknöpfen gekleidet, wie sie Diener der Bankinstitute tragen; über dem hohen steifen Kragen des Rockes entwickelte sich sein starkes Doppelkinn; unter den buschigen Augenbrauen drang der Blick der schwarzen Augen frisch und aufmerksam hervor; das sonst zerzauste weiße Haar war zu einer peinlich genauen, leuchtenden Scheitelfrisur niedergekämmt. Er warf seine Mütze, auf der ein Goldmonogramm, wahrscheinlich das einer Bank, angebracht war, über das ganze Zimmer im Bogen auf das Kanapee hin und ging, die Enden seines langen Uniformrockes zurückgeschlagen, die Hände in den Hosentaschen, mit verbissenem Gesicht auf Gregor zu. Er wußte wohl selbst nicht, was er vor hatte; immerhin hob er die Füße ungewöhnlich hoch, und Gregor staunte über die Riesengröße seiner Stiefelsohlen. Doch hielt er sich dabei nicht auf, er wußte ja noch vom ersten Tage seines neuen Lebens her, daß der Vater ihm gegenüber nur die größte Strenge für angebracht ansah. Und so lief er vor dem Vater her, stockte, wenn der Vater stehen blieb, und eilte schon wieder vorwärts, wenn sich der Vater nur rührte. So machten sie mehrmals die Runde um das Zimmer, ohne daß sich etwas Entscheidendes ereignete, ja ohne daß das Ganze infolge seines langsamen Tempos den Anschein einer Verfolgung gehabt hätte. Deshalb blieb auch Gregor vorläufig auf dem Fußboden, zumal er fürchtete, der Vater könnte eine Flucht auf die Wände oder den Plafond für besondere Bosheit halten. Allerdings mußte sich Gregor sagen, daß er sogar dieses Laufen nicht lange aushalten würde; denn während der Vater

einen Schritt machte, mußte er eine Unzahl von Bewegungen ausführen. Atemnot begann sich schon bemerkbar zu machen, wie er ja auch in seiner früheren Zeit keine ganz vertrauenswürdige Lunge besessen hatte. Als er nun so dahintorkelte, um alle Kräfte für den Lauf zu sammeln, kaum die Augen offenhielt; in seiner Stumpfheit an eine andere Rettung als durch Laufen gar nicht dachte; und fast schon vergessen hatte, daß ihm die Wände freistanden, die hier allerdings mit sorgfältig geschnitzten Möbeln voll Zacken und Spitzen verstellt waren – da flog knapp neben ihm, leicht geschleudert, irgendetwas nieder und rollte vor ihm her. Es war ein Apfel; gleich flog ihm ein zweiter nach; Gregor blieb vor Schrecken stehen; ein Weiterlaufen war nutzlos, denn der Vater hatte sich entschlossen, ihn zu bombardieren. Aus der Obstschale auf der Kredenz hatte er sich die Taschen gefüllt und warf nun, ohne vorläufig scharf zu zielen, Apfel für Apfel. Diese kleinen roten Äpfel rollten wie elektrisiert auf dem Boden herum und stießen aneinander. Ein schwach geworfener Apfel streifte Gregors Rücken, glitt aber unschädlich ab. Ein ihm sofort nachfliegender drang dagegen förmlich in Gregors Rücken ein; Gregor wollte sich weiterschleppen, als könne der überraschende unglaubliche Schmerz mit dem Ortswechsel vergehen; doch fühlte er sich wie festgenagelt und streckte sich in vollständiger Verwirrung aller Sinne. Nur mit dem letzten Blick sah er noch, wie die Tür seines Zimmers aufgerissen wurde, und vor der schreienden Schwester die Mutter hervoreilte, im Hemd, denn die Schwester hatte sie entkleidet, um ihr in der Ohnmacht Atemfreiheit zu verschaffen, wie dann die Mutter auf den Vater zulief und ihr auf dem Weg die aufgebundenen Röcke einer nach dem anderen zu Boden glitten, und wie sie stolpernd über die Röcke auf den Vater eindrang und ihn umarmend, in gänzlicher Vereinigung mit ihm – nun versagte aber Gregors Sehkraft schon – die Hände an des Vaters Hinter-kopf um Schonung von Gregors Leben bat.

* *

III

Die schwere Verwundung Gregors, an der er über einen Monat litt – der Apfel blieb, da ihn niemand zu entfernen wagte, als sichtbares Andenken im Fleische sitzen –, schien selbst den Vater daran erinnert zu haben, daß Gregor trotz seiner gegenwärtigen traurigen und ekelhaften Gestalt ein Familienmitglied war, das man nicht wie einen Feind behandeln durfte, sondern dem gegenüber es das Gebot der Familienpflicht war, den Widerwillen hinunterzuschlucken und zu dulden, nichts als zu dulden.

Und wenn nun auch Gregor durch seine Wunde an Beweglichkeit wahrscheinlich für immer verloren hatte und vorläufig zur Durchquerung seines Zimmers wie ein alter Invalide lange, lange Minuten brauchte – an das Kriechen in der Höhe war nicht zu denken –, so bekam er für diese Verschlimmerung seines Zustandes einen seiner Meinung nach vollständig genügenden Ersatz dadurch, daß immer gegen Abend die Wohnzimmertür, die er schon ein bis zwei Stunden vorher scharf zu beobachten pflegte, geöffnet wurde, so daß er, im Dunkel seines Zimmers liegend, vom Wohnzimmer aus unsichtbar, die ganze Familie beim beleuchteten Tische sehen und ihre Reden, gewissermaßen mit allgemeiner Erlaubnis, also ganz anders als früher anhören durfte.

Freilich waren es nicht mehr die lebhaften Unterhaltungen der früheren Zeiten, an die Gregor in den kleinen Hotelzimmern stets mit einigem Verlangen gedacht hatte, wenn er sich müde in das feuchte Bettzeug hatte werfen müssen. Es ging jetzt meist nur sehr still zu. Der Vater schlief bald nach dem

Nachtessen in seinem Sessel ein; die Mutter und Schwester ermahnten einander zur Stille; die Mutter nähte, weit unter das Licht vorgebeugt, feine Wäsche für ein Modengeschäft; die Schwester, die eine Stellung als Verkäuferin angenommen hatte, lernte am Abend Stenographie und Französisch, um vielleicht später einen besseren Posten zu erreichen. Manchmal wachte der Vater auf, und als wisse er gar nicht, daß er geschlafen habe, sagte er zur Mutter: „Wie lange du heute schon wieder nähst!" und schlief sofort wieder ein, während Mutter und Schwester einander müde zulächelten.

Mit einer Art Eigensinn weigerte sich der Vater, auch zu Hause seine Dieneruniform abzulegen; und während der Schlafrock nutzlos am Kleiderhaken hing, schlummerte der Vater vollständig angezogen auf seinem Platz, als sei er immer zu seinem Dienste bereit und warte auch hier auf die Stimme des Vorgesetzten. Infolgedessen verlor die gleich anfangs nicht neue Uniform trotz aller Sorgfalt von Mutter und Schwester an Reinlichkeit, und Gregor sah oft ganze Abende lang auf dieses über und über fleckige, mit seinen stets geputzten Goldknöpfen leuchtende Kleid, in dem der alte Mann höchst unbequem und doch ruhig schlief.

Sobald die Uhr zehn schlug, suchte die Mutter durch leise Zusprache den Vater zu wecken und dann zu überreden, ins Bett zu gehen, denn hier war es doch kein richtiger Schlaf, und diesen hatte der Vater, der um sechs Uhr seinen Dienst antreten mußte, äußerst nötig. Aber in dem Eigensinn, der ihn, seitdem er Diener war, ergriffen hatte, bestand er immer darauf, noch länger bei Tisch zu bleiben, trotzdem er regelmäßig einschlief, und war dann überdies nur mit der größten Mühe zu bewegen, den

Sessel mit dem Bett zu vertauschen. Da mochten Mutter und Schwester mit kleinen Ermahnungen noch so sehr auf ihn eindringen, viertelstundenlang schüttelte er langsam den Kopf, hielt die Augen geschlossen und stand nicht auf. Die Mutter zupfte ihn am Ärmel, sagte ihm Schmeichelworte ins Ohr, die Schwester verließ ihre Aufgabe, um der Mutter zu helfen, aber beim Vater verfing das nicht. Er versank nur noch tiefer in seinen Sessel. Erst als ihn die Frauen unter den Achseln faßten, schlug er die Augen auf, sah abwechselnd die Mutter und die Schwester an und pflegte zu sagen: „Das ist ein Leben. Das ist die Ruhe meiner alten Tage." Und auf die beiden Frauen gestützt, erhob er sich, umständlich, als sei er für sich selbst die größte Last, ließ sich von den Frauen bis zur Türe führen, winkte ihnen dort ab und ging nun selbständig weiter, während die Mutter ihr Nähzeug, die Schwester ihre Feder eiligst hinwarfen, um hinter dem Vater zu laufen und ihm weiter behilflich zu sein.

Wer hatte in dieser abgearbeiteten und übermüdeten Familie Zeit, sich um Gregor mehr zu kümmern, als unbedingt nötig war? Der Haushalt wurde immer mehr eingeschränkt; das Dienstmädchen wurde nun doch entlassen; eine riesige knochige Bedienerin mit weißem, den Kopf umflatterndem Haar kam des Morgens und des Abends, um die schwerste Arbeit zu leisten; alles andere besorgte die Mutter neben ihrer vielen Näharbeit. Es geschah sogar, daß verschiedene Familienschmuckstücke, welche früher die Mutter und die Schwester überglücklich bei Unterhaltungen und Feierlichkeiten getragen hatten, verkauft wurden, wie Gregor am Abend aus der allgemeinen Besprechung der erzielten Preise erfuhr. Die größte Klage war aber stets, daß man diese für die gegenwärtigen Verhältnisse allzugroße Wohnung nicht verlassen konnte, da es nicht auszudenken war, wie man Gregor übersiedeln sollte. Aber Gregor sah wohl ein, daß es nicht nur die Rücksicht auf ihn war, welche eine Übersiedlung verhinderte, denn ihn hätte man doch in einer passenden Kiste mit ein paar Luftlöchern leicht transportieren können; was die Familie hauptsächlich vom Wohnungswechsel abhielt, war vielmehr die völlige Hoffnungslosigkeit und der Gedanke daran, daß sie mit einem Unglück geschlagen war, wie niemand sonst im ganzen Verwandten- und Bekanntenkreis. Was die Welt von armen Leuten verlangt, erfüllten sie bis zum äußersten, der Vater holte den kleinen Bankbeamten das Frühstück, die Mutter opferte sich für die Wäsche fremder Leute, die Schwester lief nach dem Befehl der Kunden hinter dem Pulte hin und her, aber weiter reichten die Kräfte der Familie schon nicht. Und die Wunde im Rücken fing Gregor wie neu zu schmerzen an, wenn Mutter und Schwester, nachdem sie den Vater zu Bett gebracht hatten, nun zurückkehrten, die Arbeit liegenließen, nahe zusammenrückten, schon Wange an Wange saßen; wenn jetzt die Mutter, auf Gregors Zimmer zeigend, sagte: „Mach' dort die Tür zu, Grete", und wenn nun Gregor wieder im Dunkel war, während nebenan die Frauen ihre Tränen vermischten oder gar tränenlos den Tisch anstarrten.

Die Nächte und Tage verbrachte Gregor fast ganz ohne Schlaf. Manchmal dachte er daran, beim nächsten Öffnen der Tür die Angelegenheiten der Familie ganz so wie früher wieder in die Hand zu nehmen; in seinen Gedanken erschienen wieder nach langer Zeit der Chef und der Prokurist, die Kommis und die Lehrjungen, der so begriffsstutzige Hausknecht, zwei, drei Freunde aus anderen Geschäften, ein

Stubenmädchen aus einem Hotel in der Provinz, eine liebe, flüchtige Erinnerung, eine Kassiererin aus einem Hutgeschäft, um die er sich ernsthaft, aber zu langsam beworben hatte – sie alle erschienen untermischt mit Fremden oder schon Vergessenen, aber statt ihm und seiner Familie zu helfen, waren sie sämtlich unzugänglich, und er war froh, wenn sie verschwanden. Dann aber war er wieder gar nicht in der Laune, sich um seine Familie zu sorgen, bloß Wut über die schlechte Wartung erfüllte ihn, und trotzdem er sich nichts vorstellen konnte, worauf er Appetit gehabt hätte, machte er doch Pläne, wie er in die Speisekammer gelangen könnte, um dort zu nehmen, was ihm, auch wenn er keinen Hunger hatte, immerhin gebührte. Ohne jetzt mehr nachzudenken, womit man Gregor einen besonderen Gefallen machen könnte, schob die Schwester eiligst, ehe sie morgens und mittags ins Geschäft lief, mit dem Fuß irgendeine beliebige Speise in Gregors Zimmer hinein, um sie am Abend, gleichgültig dagegen, ob die Speise vielleicht nur verkostet oder – der häufigste Fall – gänzlich unberührt war, mit einem Schwenken des Besens hinauszukehren. Das Aufräumen des Zimmers, das sie nun immer abends besorgte, konnte gar nicht mehr schneller getan sein. Schmutzstreifen zogen sich die Wände entlang, hie und da lagen Knäuel von Staub und Unrat. In der ersten Zeit stellte sich Gregor bei der Ankunft der Schwester in derartige besonders bezeichnende Winkel, um ihr durch diese Stellung gewissermaßen einen Vorwurf zu machen. Aber er hätte wohl wochenlang dort bleiben können, ohne daß sich die Schwester gebessert hätte; sie sah ja den Schmutz genau so wie er, aber sie hatte sich eben entschlossen, ihn zu lassen. Dabei wachte sie mit einer an ihr ganz neuen Empfindlichkeit, die überhaupt

die ganze Familie ergriffen hatte, darüber, daß das
Aufräumen von Gregors Zimmer ihr vorbehalten
blieb. Einmal hatte die Mutter Gregors Zimmer
einer großen Reinigung unterzogen, die ihr nur nach
Verbrauch einiger Kübel Wasser gelungen war – die
viele Feuchtigkeit kränkte allerdings Gregor auch
und er lag breit, verbittert und unbeweglich auf dem
Kanapee –, aber die Strafe blieb für die Mutter nicht
aus. Denn kaum hatte am Abend die Schwester die
Veränderung in Gregors Zimmer bemerkt, als sie, aufs
höchste beleidigt, ins Wohnzimmer lief und, trotz
der beschwörend erhobenen Hände der Mutter, in
einen Weinkrampf ausbrach, dem die Eltern – der
Vater war natürlich aus seinem Sessel aufgeschreckt
worden – zuerst erstaunt und hilflos zusahen, bis
auch sie sich zu rühren anfingen; der Vater rechts der
Mutter Vorwürfe machte, daß sie Gregors Zimmer
nicht der Schwester zur Reinigung überließ; links
dagegen die Schwester anschrie, sie werde niemals
mehr Gregors Zimmer reinigen dürfen; während die
Mutter den Vater, der sich vor Erregung nicht mehr
kannte, ins Schlafzimmer zu schleppen suchte; die
Schwester, von Schluchzen geschüttelt, mit ihren
kleinen Fäusten den Tisch bearbeitete; und Gregor
laut vor Wut darüber zischte, daß es keinem einfiel,
die Tür zu schließen und ihm diesen Anblick und
Lärm zu ersparen.

Aber selbst wenn die Schwester, erschöpft von
ihrer Berufsarbeit, dessen überdrüssig geworden war,
für Gregor, wie früher, zu sorgen, so hätte noch keineswegs die Mutter für sie eintreten müssen und
Gregor hätte doch nicht vernachlässigt werden brau-
chen. Denn nun war die Bedienerin da. Diese alte
Witwe, die in ihrem langen Leben mit Hilfe ihres
starken Knochenbaues das Ärgste überstanden haben

mochte, hatte keinen eigentlichen Abscheu vor Gregor. Ohne irgendwie neugierig zu sein, hatte sie zufällig einmal die Tür von Gregors Zimmer aufgemacht und war im Anblick Gregors, der, gänzlich überrascht, trotzdem ihn niemand jagte, hin und her zu laufen begann, die Hände im Schoß gefaltet staunend stehengeblieben. Seitdem versäumte sie nicht, stets flüchtig morgens und abends die Tür ein wenig zu öffnen und zu Gregor hineinzuschauen. Anfangs rief sie ihn auch zu sich herbei, mit Worten, die sie wahrscheinlich für freundlich hielt, wie „Komm mal herüber, alter Mistkäfer!" oder „Seht mal den alten Mistkäfer!" Auf solche Ansprachen antwortete Gregor mit nichts, sondern blieb unbeweglich auf seinem Platz, als sei die Tür gar nicht geöffnet worden. Hätte man doch dieser Bedienerin, statt sie nach ihrer Laune ihn nutzlos stören zu lassen, lieber den Befehl gegeben, sein Zimmer täglich zu reinigen! Einmal am frühen Morgen – ein heftiger Regen, vielleicht schon ein Zeichen des kommenden Frühjahrs, schlug an die Scheiben – war Gregor, als die Bedienerin mit ihren Redensarten wieder begann, derartig verbittert, daß er, wie zum Angriff, allerdings langsam und hinfällig, sich gegen sie wendete. Die Bedienerin aber, statt sich zu fürchten, hob bloß einen in der Nähe der Tür befindlichen Stuhl hoch empor, und wie sie mit groß geöffnetem Munde dastand, war ihre Absicht klar, den Mund erst zu schließen, wenn der Sessel in ihrer Hand auf Gregors Rücken niederschlagen würde. „Also weiter geht es nicht?" fragte sie, als Gregor sich wieder umdrehte, und stellte den Sessel ruhig in die Ecke zurück.

Gregor aß nun fast gar nichts mehr. Nur wenn er zufällig an der vorbereiteten Speise vorüberkam, nahm er zum Spiel einen Bissen in den Mund, hielt ihn dort stundenlang und spie ihn dann meist wieder aus. Zuerst dachte er, es sei die Trauer über den Zustand seines Zimmers, die ihn vom Essen abhalte, aber gerade mit den Veränderungen des Zimmers söhnte er sich sehr bald aus. Man hatte sich angewöhnt, Dinge, die man anderswo nicht unterbringen konnte, in dieses Zimmer hineinzustellen, und solcher Dinge gab es nun viele, da man ein Zimmer der Wohnung an drei Zimmerherren vermietet hatte. Diese ernsten Herren – alle drei hatten Vollbärte, wie Gregor einmal durch eine Türspalte feststellte – waren peinlich auf Ordnung, nicht nur in ihrem Zimmer, sondern, da sie sich nun einmal hier eingemietet hatten, in der ganzen Wirtschaft, also insbesondere in der Küche, bedacht. Unnützen oder gar schmutzigen Kram ertrugen sie nicht. Überdies hatten sie zum größten Teil ihre eigenen Einrichtungsstücke mitgebracht. Aus diesem Grunde waren viele Dinge überflüssig geworden, die zwar nicht verkäuflich waren, die man aber auch nicht wegwerfen wollte. Alle diese wanderten in Gregors Zimmer. Ebenso auch die Aschenkiste und die Abfallkiste aus der Küche. Was nur im Augenblick unbrauchbar war, schleuderte die Bedienerin, die es immer sehr eilig hatte, einfach in Gregors Zimmer; Gregor sah glücklicherweise meist nur den betreffenden Gegenstand und die Hand, die ihn hielt. Die Bedienerin hatte vielleicht die Absicht, bei Zeit und Gelegenheit die Dinge wieder zu holen oder alle insgesamt mit einemmal hinauszuwerfen, tatsächlich aber blieben sie dort liegen, wohin sie durch den ersten Wurf gekommen waren, wenn nicht Gregor sich durch das Rumpelzeug wand und es in Bewegung brachte, zuerst gezwungen, weil kein sonstiger Platz zum Kriechen frei war, später aber mit wachsendem Vergnügen, obwohl er nach solchen Wanderungen, zum Sterben müde und traurig, wieder stundenlang sich nicht rührte.

Da die Zimmerherren manchmal auch ihr Abendessen zu Hause im gemeinsamen Wohnzimmer einnahmen, blieb die Wohnzimmertür an manchen Abenden geschlossen, aber Gregor verzichtete ganz leicht auf das Öffnen der Tür, hatte er doch schon manche Abende, an denen sie geöffnet war, nicht ausgenützt, sondern war, ohne daß es die Familie merkte, im dunkelsten Winkel seines Zimmers gelegen. Einmal aber hatte die Bedienerin die Tür zum Wohnzimmer ein wenig offen gelassen, und sie blieb so offen, auch als die Zimmerherren am Abend eintraten und Licht gemacht wurde. Sie setzten sich oben an den Tisch, wo in früheren Zeiten der Vater, die Mutter und Gregor gegessen hatten, entfalteten die Servietten und nahmen Messer und Gabel in die Hand. Sofort erschien in der Tür die Mutter mit einer Schüssel Fleisch und knapp hinter ihr die Schwester mit einer Schüssel hochgeschichteter Kartoffeln. Das Essen dampfte mit starkem Rauch. Die Zimmerherren beugten sich über die vor sie hingestellten Schüsseln, als wollten sie sie vor dem Essen prüfen, und tatsächlich zerschnitt der, welcher in der Mitte saß und den anderen zwei als Autorität zu gelten schien, ein Stück Fleisch noch auf der Schüssel, offenbar um festzustellen, ob es mürbe genug sei und ob es nicht etwa in die Küche zurückgeschickt werden solle. Er war befriedigt, und Mutter und Schwester, die gespannt zugesehen hatten, begannen aufatmend zu lächeln.

Die Familie selbst aß in der Küche. Trotzdem kam der Vater, ehe er in die Küche ging, in dieses Zimmer herein und machte mit einer einzigen Verbeugung, die Kappe in der Hand, einen Rundgang um den

Tisch. Die Zimmerherren erhoben sich sämtlich und murmelten etwas in ihre Bärte. Als sie dann allein waren, aßen sie fast unter vollkommenem Stillschweigen. Sonderbar schien es Gregor, daß man aus allen mannigfachen Geräuschen des Essens immer wieder ihre kauenden Zähne heraushörte, als ob damit Gregor gezeigt werden sollte, daß man Zähne brauche, um zu essen, und daß man auch mit den schönsten zahnlosen Kiefern nichts ausrichten könne. „Ich habe ja Appetit", sagte sich Gregor sorgenvoll, „aber nicht auf diese Dinge. Wie sich diese Zimmerherren nähren, und ich komme um!"

Gerade an diesem Abend – Gregor erinnerte sich nicht, während der ganzen Zeit die Violine gehört zu haben – ertönte sie von der Küche her. Die Zimmerherren hatten schon ihr Nachtmahl beendet, der mittlere hatte eine Zeitung hervorgezogen, den zwei anderen je ein Blatt gegeben, und nun lasen sie zurückgelehnt und rauchten. Als die Violine zu spielen begann, wurden sie aufmerksam, erhoben sich und gingen auf den Fußspitzen zur Vorzimmertür, in der sie aneinandergedrängt stehen blieben. Man mußte sie von der Küche aus gehört haben, denn der Vater rief: „Ist den Herren das Spiel vielleicht unangenehm? Es kann sofort eingestellt werden." „Im Gegenteil", sagte der mittlere der Herren, „möchte das Fräulein nicht zu uns hereinkommen und hier im Zimmer spielen, wo es doch viel bequemer und gemütlicher ist?" „O bitte", rief der Vater, als sei er der Violinspieler. Die Herren traten ins Zimmer zurück und warteten. Bald kam der Vater mit dem Notenpult, die Mutter mit den Noten und die Schwester mit der Violine. Die Schwester bereitete alles ruhig zum Spiele vor; die Eltern, die niemals früher Zimmer vermietet hatten und deshalb die Höflichkeit gegen die

Zimmerherren übertrieben, wagten gar nicht, sich auf ihre eigenen Sessel zu setzen; der Vater lehnte an der Tür, die rechte Hand zwischen zwei Knöpfe des geschlossenen Livreerockes gesteckt; die Mutter aber erhielt von einem Herrn einen Sessel angeboten und saß, da sie den Sessel dort ließ, wohin ihn der Herr zufällig gestellt hatte, abseits in einem Winkel.

Die Schwester begann zu spielen; Vater und Mutter verfolgten, jeder von seiner Seite, aufmerksam die Bewegungen ihrer Hände. Gregor hatte, von dem Spiele angezogen, sich ein wenig weiter vorgewagt und war schon mit dem Kopf im Wohnzimmer. Er wunderte sich kaum darüber, daß er in letzter Zeit so wenig Rücksicht auf die andern nahm; früher war diese Rücksichtnahme sein Stolz gewesen. Und dabei hätte er gerade jetzt mehr Grund gehabt, sich zu verstecken, denn infolge des Staubes, der in seinem Zimmer überall lag und bei der kleinsten Bewegung umherflog, war auch er ganz staubbedeckt; Fäden, Haare, Speiseüberreste schleppte er auf seinem Rükken und an den Seiten mit sich herum; seine Gleichgültigkeit gegen alles war viel zu groß, als daß er sich, wie früher mehrmals während des Tages, auf den Rücken gelegt und am Teppich gescheuert hätte. Und trotz dieses Zustandes hatte er keine Scheu, ein Stück auf dem makellosen Fußboden des Wohnzimmers vorzurücken.

Allerdings achtete auch niemand auf ihn. Die Familie war gänzlich vom Violinspiel in Anspruch genommen; die Zimmerherren dagegen, die zunächst, die Hände in den Hosentaschen, viel zu nahe hinter dem Notenpult der Schwester sich aufgestellt hatten, so daß sie alle in die Noten hätten sehen können, was sicher die Schwester stören mußte, zogen sich bald unter halblauten Gesprächen mit gesenkten Köpfen

zum Fenster zurück, wo sie, vom Vater besorgt beobachtet, auch blieben. Es hatte nun wirklich den über-
deutlichen Anschein, als wären sie in ihrer Annahme,
ein schönes oder unterhaltendes Violinspiel zu hören, enttäuscht, hätten die ganze Vorführung satt
und ließen sich nur aus Höflichkeit noch in ihrer
Ruhe stören. Besonders die Art, wie sie alle aus Nase
und Mund den Rauch ihrer Zigarren in die Höhe
bliesen, ließ auf große Nervosität schließen. Und
doch spielte die Schwester so schön. Ihr Gesicht war
zur Seite geneigt, prüfend und traurig folgten ihre
Blicke den Notenzeilen. Gregor kroch noch ein Stück
vorwärts und hielt den Kopf eng an den Boden, um
möglicherweise ihren Blicken begegnen zu können.
War er ein Tier, da ihn Musik so ergriff? Ihm war, als
zeige sich ihm der Weg zu der ersehnten unbekannten Nahrung. Er war entschlossen, bis zur Schwester
vorzudringen, sie am Rock zu zupfen und ihr dadurch anzudeuten, sie möge doch mit ihrer Violine
in sein Zimmer kommen, denn niemand lohnte hier
das Spiel so, wie er es lohnen wollte. Er wollte sie
nicht mehr aus seinem Zimmer lassen, wenigstens
nicht, solange er lebte; seine Schreckgestalt sollte ihm
zum erstenmal nützlich werden; an allen Türen seines
Zimmers wollte er gleichzeitig sein und den Angrei-
fern entgegenfauchen; die Schwester aber sollte nicht
gezwungen, sondern freiwillig bei ihm bleiben; sie
sollte neben ihm auf dem Kanapee sitzen, das Ohr zu
ihm herunterneigen, und er wollte ihr dann anver-
trauen, daß er die feste Absicht gehabt habe, sie auf
das Konservatorium zu schicken, und daß er dies,
wenn nicht das Unglück dazwischen gekommen wäre,
vergangene Weihnachten – Weihnachten war doch
wohl schon vorüber? – allen gesagt hätte, ohne sich
um irgendwelche Widerreden zu kümmern. Nach

dieser Erklärung würde die Schwester in Tränen der Rührung ausbrechen, und Gregor würde sich bis zu ihrer Achsel erheben und ihren Hals küssen, den sie, seitdem sie ins Geschäft ging, frei ohne Band oder Kragen trug.

„Herr Samsa!" rief der mittlere Herr dem Vater zu und zeigte, ohne ein weiteres Wort zu verlieren, mit dem Zeigefinger auf den langsam sich vorwärtsbewegenden Gregor. Die Violine verstummte, der mittlere Zimmerherr lächelte erst einmal kopfschüttelnd seinen Freunden zu und sah dann wieder auf Gregor hin. Der Vater schien es für nötiger zu halten, statt Gregor zu vertreiben, vorerst die Zimmerherren zu beruhigen, trotzdem diese gar nicht aufgeregt waren und Gregor sie mehr als das Violinspiel zu unterhalten schien. Er eilte zu ihnen und suchte sie mit ausgebreiteten Armen in ihr Zimmer zu drängen und gleichzeitig mit seinem Körper ihnen den Ausblick auf Gregor zu nehmen. Sie wurden nun tatsächlich ein wenig böse, man wußte nicht mehr, ob über das Benehmen des Vaters oder über die ihnen jetzt aufgehende Erkenntnis, ohne es zu wissen, einen solchen Zimmernachbar wie Gregor besessen zu haben. Sie verlangten vom Vater Erklärungen, hoben ihrerseits die Arme, zupften unruhig an ihren Bärten und wichen nur langsam gegen ihr Zimmer zurück. Inzwischen hatte die Schwester die Verlorenheit, in die sie nach dem plötzlich abgebrochenen Spiel verfallen war, überwunden, hatte sich, nachdem sie eine Zeit lang in den lässig hängenden Händen Violine und Bogen gehalten und weiter, als spiele sie noch, in die Noten gesehen hatte, mit einem Male aufgerafft, hatte das Instrument auf den Schoß der Mutter gelegt, die in Atembeschwerden mit heftig arbeitenden Lungen noch auf ihrem Sessel saß, und war in das Nebenzimmer gelaufen, dem sich die Zimmerherren unter dem Drängen des Vaters schon schneller näherten. Man sah, wie unter den geübten Händen der Schwester die Decken und Polster in den Betten in die Höhe flogen und sich ordneten. Noch ehe die Herren das Zimmer erreicht hatten, war sie mit dem Aufbetten fertig und schlüpfte heraus. Der Vater schien wieder von seinem Eigensinn derartig ergriffen, daß er jeden Respekt vergaß, den er seinen Mietern immerhin schuldete. Er drängte nur und drängte, bis schon in der Tür des Zimmers der mittlere der Herren donnernd mit dem Fuß aufstampfte und dadurch den Vater zum Stehen brachte. „Ich erkläre hiermit“, sagte er, hob die Hand und suchte mit den Blicken auch die Mutter und die Schwester, „daß ich mit Rücksicht auf die in dieser Wohnung und Familie herrschenden widerlichen Verhältnisse“ – hierbei spie er kurz entschlossen auf den Boden – „mein Zimmer augenblicklich kündige. Ich werde natürlich auch für die Tage, die ich hier gewohnt habe, nicht das geringste bezahlen, dagegen werde ich es mir noch überlegen, ob ich nicht mit irgendwelchen – glauben Sie mir – sehr leicht zu begründenden Forderungen gegen Sie auftreten werde.“ Er schwieg und sah gerade vor sich hin, als erwarte er etwas. Tatsächlich fielen sofort seine zwei Freunde mit den Worten ein: „Auch wir kündigen augenblicklich.“ Darauf faßte er die Türklinke und schloß mit einem Krach die Tür.

Das Vater wankte mit tastenden Händen zu seinem Sessel und ließ sich in ihn fallen; es sah aus, als strecke er sich zu seinem gewöhnlichen Abendschläfchen, aber das starke Nicken seines wie haltlosen Kopfes zeigte, daß er ganz und gar nicht schlief. Gregor war die ganze Zeit still auf dem Platz gelegen, auf dem ihn die Zimmerherren ertappt hatten. Die Enttäuschung über das Mißlingen seines Planes, vielleicht aber auch die durch das viele Hungern verursachte Schwäche machten es ihm unmöglich, sich zu bewegen. Er fürchtete mit einer gewissen Bestimmtheit schon für den nächsten Augenblick einen allgemeinen über ihn sich entladenden Zusammensturz und wartete. Nicht einmal die Violine schreckte ihn auf, die, unter den zitternden Fingern der Mutter hervor, ihr vom Schoße fiel und einen hallenden Ton von sich gab.

„Liebe Eltern", sagte die Schwester und schlug zur Einleitung mit der Hand auf den Tisch, „so geht es nicht weiter. Wenn ihr das vielleicht nicht einseht, ich sehe es ein. Ich will vor diesem Untier nicht den Namen meines Bruders aussprechen, und sage daher bloß: wir müssen versuchen, es loszuwerden. Wir haben das Menschenmögliche versucht, es zu pflegen und zu dulden, ich glaube, es kann uns niemand den geringsten Vorwurf machen."

„Sie hat tausendmal Recht", sagte der Vater für sich. Die Mutter, die noch immer nicht genug Atem finden konnte, fing in die vorgehaltene Hand mit einem irrsinnigen Ausdruck der Augen dumpf zu husten an.

Die Schwester eilte zur Mutter und hielt ihr die Stirn. Der Vater schien durch die Worte der Schwester auf bestimmtere Gedanken gebracht zu sein, hatte sich aufrecht gesetzt, spielte mit seiner Dienermütze zwischen den Tellern, die noch vom Nachtmahl der Zimmerherren her auf dem Tische lagen, und sah bisweilen auf den stillen Gregor hin.

„Wir müssen es loszuwerden versuchen", sagte die Schwester nun ausschließlich zum Vater, denn die Mutter hörte in ihrem Husten nichts, „es bringt euch noch beide um, ich sehe es kommen. Wenn man schon so schwer arbeiten muß, wie wir alle, kann man nicht noch zu Hause diese ewige Quälerei ertragen. Ich kann es auch nicht mehr." Und sie brach so heftig in Weinen aus, daß ihre Tränen auf das Gesicht der Mutter niederflossen, von dem sie sie mit mechanischen Handbewegungen wischte.

„Kind", sagte der Vater mitleidig und mit auffallendem Verständnis, „was sollen wir aber tun?"

Die Schwester zuckte nur die Achseln zum Zeichen der Ratlosigkeit, die sie nun während des Weinens im Gegensatz zu ihrer früheren Sicherheit ergriffen hatte.

„Wenn er uns verstünde", sagte der Vater halb fragend; die Schwester schüttelte aus dem Weinen heraus heftig die Hand zum Zeichen, daß daran nicht zu denken sei.

„Wenn er uns verstünde", wiederholte der Vater und nahm durch Schließen der Augen die Überzeugung der Schwester von der Unmöglichkeit dessen in sich auf, „dann wäre vielleicht ein Übereinkommen mit ihm möglich. Aber so –"

„Weg muß er", rief die Schwester, „das ist das einzige Mittel, Vater. Du mußt bloß den Gedanken loszuwerden suchen, daß es Gregor ist. Daß wir es solange geglaubt haben, ist ja unser eigentliches Unglück. Aber wie kann es denn Gregor sein? Wenn es Gregor wäre, er hätte längst eingesehen, daß ein Zusammenleben von Menschen mit einem solchen Tier nicht möglich ist, und wäre freiwillig fortgegangen. Wir hätten dann keinen Bruder, aber könnten weiter leben und sein Andenken in Ehren halten. So aber verfolgt uns dieses Tier, vertreibt die Zimmerherren, will offenbar die ganze Wohnung einnehmen und uns auf der Gasse übernachten lassen. Sieh nur, Vater", schrie sie plötzlich auf, „er fängt schon wieder an!" Und in einem für Gregor gänzlich unverständlichen

Schrecken verließ die Schwester sogar die Mutter, stieß sich förmlich von ihrem Sessel ab, als wollte sie lieber die Mutter opfern, als in Gregors Nähe bleiben, und eilte hinter den Vater, der, lediglich durch ihr Benehmen erregt, auch aufstand und die Arme wie zum Schutze der Schwester vor ihr halb erhob.

Aber Gregor fiel es doch gar nicht ein, irgend jemandem und gar seiner Schwester Angst machen zu wollen. Er hatte bloß angefangen, sich umzudrehen, um in sein Zimmer zurückzuwandern, und das nahm sich allerdings auffallend aus, da er infolge seines leidenden Zustandes bei den schwierigen Umdrehungen mit seinem Kopfe nachhelfen mußte, den er hierbei viele Male hob und gegen den Boden schlug. Er hielt inne und sah sich um. Seine gute Absicht schien erkannt worden zu sein; es war nur ein augenblicklicher Schrecken gewesen. Nun sahen ihn alle schweigend und traurig an. Die Mutter lag, die Beine ausgestreckt und aneinandergedrückt, in ihrem Sessel, die Augen fielen ihr vor Ermattung fast zu; der Vater und die Schwester saßen nebeneinander, die Schwester hatte ihre Hand um des Vaters Hals gelegt.

„Nun darf ich mich schon vielleicht umdrehen", dachte Gregor und begann seine Arbeit wieder. Er konnte das Schnaufen der Anstrengung nicht unterdrücken und mußte auch hie und da ausruhen. Im übrigen drängte ihn auch niemand, es war alles ihm selbst überlassen. Als er die Umdrehung vollendet hatte, fing er sofort an, geradeaus zurückzuwandern. Er staunte über die große Entfernung, die ihn von seinem Zimmer trennte, und begriff gar nicht, wie er bei seiner Schwäche vor kurzer Zeit den gleichen Weg, fast ohne es zu merken, zurückgelegt hatte. Immerfort nur auf rasches Kriechen bedacht, achtete er kaum darauf, daß kein Wort, kein Ausruf seiner Familie ihn störte. Erst als er schon in der Tür war, wendete er den Kopf, nicht vollständig, denn er fühlte den Hals steif werden, immerhin sah er noch, daß sich hinter ihm nichts verändert hatte, nur die Schwester war aufgestanden. Sein letzter Blick streifte die Mutter, die nun völlig eingeschlafen war.

Kaum war er innerhalb seines Zimmers, wurde die Tür eiligst zugedrückt, festgeriegelt und versperrt. Über den plötzlichen Lärm hinter sich erschrak Gregor so, daß ihm die Beinchen einknickten. Es war die Schwester, die sich so beeilt hatte. Aufrecht war sie schon da gestanden und hatte gewartet, leichtfüßig war sie dann vorwärtsgesprungen, Gregor hatte sie gar nicht kommen hören, und ein „Endlich!" rief sie den Eltern zu, während sie den Schlüssel im Schloß umdrehte.

„Und jetzt?" fragte sich Gregor und sah sich im Dunkeln um. Er machte bald die Entdeckung, daß er sich nun überhaupt nicht mehr rühren konnte. Er wunderte sich darüber nicht, eher kam es ihm unnatürlich vor, daß er sich bis jetzt tatsächlich mit diesen dünnen Beinchen hatte fortbewegen können. Im übrigen fühlte er sich verhältnismäßig behaglich. Er hatte zwar Schmerzen im ganzen Leib, aber ihm war, als würden sie allmählich schwächer und schwächer und würden schließlich ganz vergehen. Den verfaulten Apfel in seinem Rücken und die entzündete Umgebung, die ganz von weichem Staub bedeckt waren, spürte er schon kaum. An seine Familie dachte er mit Rührung und Liebe zurück. Seine Meinung darüber, daß er verschwinden müsse, war womöglich noch entschiedener als die seiner Schwester. In diesem Zustand leeren und friedlichen Nachdenkens blieb er, bis die Turmuhr die dritte Morgenstunde schlug. Den Anfang des allgemeinen Hellerwerdens draußen vor

dem Fenster erlebte er noch. Dann sank sein Kopf
ohne seinen Willen gänzlich nieder, und aus seinen
Nüstern strömte sein letzter Atem schwach hervor.

Als am frühen Morgen die Bedienerin kam – vor
lauter Kraft und Eile schlug sie, wie oft man sie auch
schon gebeten hatte, das zu vermeiden, alle Türen derartig zu, daß in der ganzen Wohnung von ihrem
Kommen an kein ruhiger Schlaf mehr möglich
war –, fand sie bei ihrem gewöhnlichen kurzen Be-
such an Gregor zuerst nichts Besonderes. Sie dachte,
er liege absichtlich so unbeweglich da und spiele den
Beleidigten; sie traute ihm allen möglichen Verstand
zu. Weil sie zufällig den langen Besen in der Hand
hielt, suchte sie mit ihm Gregor von der Tür aus zu
kitzeln. Als sich auch da kein Erfolg zeigte, wurde sie
ärgerlich und stieß ein wenig in Gregor hinein, und
erst als sie ihn ohne jeden Widerstand von seinem
Platze geschoben hatte, wurde sie aufmerksam. Als
sie bald den wahren Sachverhalt erkannte, machte sie
große Augen, pfiff vor sich hin, hielt sich aber nicht
lange auf, sondern riß die Tür des Schlafzimmers auf
und rief mit lauter Stimme in das Dunkel hinein:
„Sehen Sie nur mal an, es ist krepiert; da liegt es,
ganz und gar krepiert!"

Das Ehepaar Samsa saß im Ehebett aufrecht da
und hatte zu tun, den Schrecken über die Bedienerin
zu verwinden, ehe es dazu kam, ihre Meldung aufzu-
fassen. Dann aber stiegen Herr und Frau Samsa, jeder
auf seiner Seite, eiligst aus dem Bett, Herr Samsa
warf die Decke über seine Schultern, Frau Samsa
kam nur im Nachthemd hervor; so traten sie in Gregors Zimmer. Inzwischen hatte sich auch die Tür des
Wohnzimmers geöffnet, in dem Grete seit Einzug
der Zimmerherren schlief; sie war völlig angezogen,
als hätte sie gar nicht geschlafen, auch ihr bleiches

Gesicht schien das zu beweisen. „Tot?" sagte Frau Samsa und sah fragend zur Bedienerin auf, trotzdem sie doch alles selbst prüfen und sogar ohne Prüfung erkennen konnte. „Das will ich meinen", sagte die Bedienerin und stieß zum Beweis Gregors Leiche mit dem Besen noch ein großes Stück seitwärts. Frau Samsa machte eine Bewegung, als wolle sie den Besen zurückhalten, tat es aber nicht. „Nun", sagte Herr Samsa, „jetzt können wir Gott danken." Er bekreuzte sich, und die drei Frauen folgten seinem Beispiel. Grete, die kein Auge von der Leiche wendete, sagte: „Seht nur, wie mager er war. Er hat ja auch schon so lange Zeit nichts gegessen. So wie die Speisen hereinkamen, sind sie wieder hinausgekommen." Tatsächlich war Gregors Körper vollständig flach und trocken, man erkannte das eigentlich erst jetzt, da er nicht mehr von den Beinchen gehoben war und auch sonst nichts den Blick ablenkte.

„Komm, Grete, auf ein Weilchen zu uns herein", sagte Frau Samsa mit einem wehmütigen Lächeln, und Grete ging, nicht ohne nach der Leiche zurückzusehen, hinter den Eltern in das Schlafzimmer. Die Bedienerin schloß die Tür und öffnete gänzlich das Fenster. Trotz des frühen Morgens war der frischen Luft schon etwas Lauigkeit beigemischt. Es war eben schon Ende März.

Aus ihrem Zimmer traten die drei Zimmerherren und sahen sich erstaunt nach ihrem Frühstück um; man hatte sie vergessen. „Wo ist das Frühstück?" fragte der mittlere der Herren mürrisch die Bedienerin. Diese aber legte den Finger an den Mund und winkte dann hastig und schweigend den Herren zu, sie möchten in Gregors Zimmer kommen. Sie kamen auch und standen dann, die Hände in den Taschen ihrer etwas abgenützten Röckchen, in dem

nun schon ganz hellen Zimmer um Gregors Leiche
herum.

Da öffnete sich die Tür des Schlafzimmers, und
Herr Samsa erschien in seiner Livree, an einem Arm
seine Frau, am anderen seine Tochter. Alle waren ein
wenig verweint; Grete drückte bisweilen ihr Gesicht
an den Arm des Vaters.

„Verlassen Sie sofort meine Wohnung!" sagte
Herr Samsa und zeigte auf die Tür, ohne die Frauen
von sich zu lassen. „Wie meinen Sie das?" sagte der
mittlere der Herren etwas bestürzt und lächelte süß-
lich. Die zwei anderen hielten die Hände auf dem
Rücken und rieben sie ununterbrochen aneinander,
wie in freudiger Erwartung eines großen Streites, der
aber für sie günstig ausfallen mußte. „Ich meine es
genau so, wie ich es sage", antwortete Herr Samsa
und ging in einer Linie mit seinen zwei Begleiterin-
nen auf den Zimmerherrn zu. Dieser stand zuerst
still da und sah zu Boden, als ob sich die Dinge in
seinem Kopf zu einer neuen Ordnung zusammen-
stellten. „Dann gehen wir also", sagte er dann und
sah zu Herrn Samsa auf, als verlange er in einer plötzlich ihn überkommenden Demut sogar für diesen Ent-
schluß eine neue Genehmigung. Herr Samsa nickte
ihm bloß mehrmals kurz mit großen Augen zu. Da-
raufhin ging der Herr tatsächlich sofort mit langen
Schritten ins Vorzimmer; seine beiden Freunde hatten schon ein Weilchen lang mit ganz ruhigen Händen aufgehorcht und hüpften ihm jetzt geradezu
nach, wie in Angst, Herr Samsa könnte vor ihnen ins
Vorzimmer eintreten und die Verbindung mit ihrem
Führer stören. Im Vorzimmer nahmen alle drei die
Hüte vom Kleiderrechen, zogen ihre Stöcke aus dem
Stockbehälter, verbeugten sich stumm und verließen
die Wohnung. In einem, wie sich zeigte, gänzlich

unbegründeten Mißtrauen trat Herr Samsa mit den zwei Frauen auf den Vorplatz hinaus; an das Geländer gelehnt, sahen sie zu, wie die drei Herren zwar langsam, aber ständig die lange Treppe hinunterstiegen, in jedem Stockwerk in einer bestimmten Biegung des Treppenhauses verschwanden und nach ein paar Augenblicken wieder hervorkamen; je tiefer sie gelangten, desto mehr verlor sich das Interesse der Familie Samsa für sie, und als ihnen entgegen und dann hoch über sie hinweg ein Fleischergeselle mit der Trage auf dem Kopf in stolzer Haltung heraufstieg, verließ bald Herr Samsa mit den Frauen das Geländer, und alle kehrten, wie erleichtert, in ihre Wohnung zurück.

Sie beschlossen, den heutigen Tag zum Ausruhen und Spazierengehen zu verwenden; sie hatten diese Arbeitsunterbrechung nicht nur verdient, sie brauchten sie sogar unbedingt. Und so setzten sie sich zum Tisch und schrieben drei Entschuldigungsbriefe, Herr Samsa an seine Direktion, Frau Samsa an ihren Auftraggeber und Grete an ihren Prinzipal. Während des Schreibens kam die Bedienerin herein, um zu sagen, daß sie fortgehe, denn ihre Morgenarbeit war beendet. Die drei Schreibenden nickten zuerst bloß, ohne aufzuschauen, erst als die Bedienerin sich immer noch nicht entfernen wollte, sah man ärgerlich auf. „Nun?" fragte Herr Samsa. Die Bedienerin stand lächelnd in der Tür, als habe sie der Familie ein großes Glück zu melden, werde es aber nur dann tun, wenn sie gründlich ausgefragt werde. Die fast aufrechte kleine Straußfeder auf ihrem Hut, über die sich Herr Samsa schon während ihrer ganzen Dienstzeit ärgerte, schwankte leicht nach allen Richtungen. „Also was wollen Sie eigentlich?" fragte Frau Samsa, vor welcher die Bedienerin noch am meisten Respekt hatte. „Ja", antwortete die Bedienerin und konnte vor freundlichem Lachen nicht gleich weiterreden, „also darüber, wie das Zeug von nebenan weggeschafft werden soll, müssen Sie sich keine Sorgen machen. Es ist schon in Ordnung." Frau Samsa und Grete beugten sich zu ihren Briefen nieder, als wollten sie weiterschreiben; Herr Samsa, welcher merkte, daß die Bedienerin nun alles ausführlich zu beschreiben anfangen wollte, wehrte dies mit ausgestreckter Hand entschieden ab. Da sie aber nicht erzählen durfte, erinnerte sie sich an die große Eile, die sie hatte, rief offenbar beleidigt: „Adjes allseits", drehte sich wild um und verließ unter fürchterlichem Türezuschlagen die Wohnung.

„Abends wird sie entlassen", sagte Herr Samsa, bekam aber weder von seiner Frau noch von seiner Tochter eine Antwort, denn die Bedienerin schien ihre kaum gewonnene Ruhe wieder gestört zu haben. Sie erhoben sich, gingen zum Fenster und blieben dort, sich umschlungen haltend. Herr Samsa drehte sich in seinem Sessel nach ihnen um und beobachtete sie still ein Weilchen. Dann rief er: „Also kommt doch her. Laßt schon endlich die alten Sachen. Und nehmt auch ein wenig Rücksicht auf mich." Gleich folgten ihm die Frauen, eilten zu ihm, liebkosten ihn und beendeten rasch ihre Briefe.

Dann verließen alle drei gemeinschaftlich die Wohnung, was sie schon seit Monaten nicht getan hatten, und fuhren mit der Elektrischen ins Freie vor die Stadt. Der Wagen, in dem sie allein saßen, war ganz von warmer Sonne durchschienen. Sie besprachen, bequem auf ihren Sitzen zurückgelehnt, die Aussichten für die Zukunft, und es fand sich, daß diese bei näherer Betrachtung durchaus nicht schlecht waren, denn aller drei Anstellungen waren, worüber

sie einander eigentlich noch gar nicht ausgefragt hatten, überaus günstig und besonders für später vielversprechend. Die größte augenblickliche Besserung der Lage mußte sich natürlich leicht durch einen Wohnungswechsel ergeben; sie wollten nun eine kleinere und billigere, aber besser gelegene und überhaupt praktischere Wohnung nehmen, als es die jetzige, noch von Gregor ausgesuchte war. Während sie sich so unterhielten, fiel es Herrn und Frau Samsa im Anblick ihrer immer lebhafter werdenden Tochter fast gleichzeitig ein, wie sie in der letzten Zeit trotz aller Plage, die ihre Wangen bleich gemacht hatte, zu einem schönen und üppigen Mädchen aufgeblüht war. Stiller werdend und fast unbewußt durch Blicke sich verständigend, dachten sie daran, daß es nun Zeit sein werde, auch einen braven Mann für sie zu suchen. Und es war ihnen wie eine Bestätigung ihrer neuen Träume und guten Absichten, als am Ziele ihrer Fahrt die Tochter als erste sich erhob und ihren jungen Körper dehnte.

* * *

Karl Brand
Die Rückverwandlung des Gregor Samsa

Man hatte den entsetzlichen Wanzenkadaver des Gregor Samsa mit dem Abdeckerwagen fortschaffen lassen. Dieser hatte den trockenen und abgemagerten Leib mit seinen Gehilfen vor die Stadt gefahren und denselben auf einem ungeheuerlichen Kehrichthaufen abgeladen. Wie lange der tote, vermorschte Leib daselbst auf das Verscharren wartete, läßt sich nicht feststellen, doch begann derselbe bereits durch den Einfluß der Sonnenhitze einen entsetzlichen Pestgeruch zu verbreiten. Die zahllosen Fliegenschwärme, die bei Tag den ungeheuren Kehrichthaufen bewimmelten, trauten sich ob dieses furchtbaren Aussehens und Gestankes nicht an ihn heran.

Die Sonne begann hinter den die Stadt umgebenden Hügeln niederzukriechen, und ein kühler Tau begann mit Einbruch der Dunkelheit herabzufallen, so daß der Wanzenleib des toten Gregor Samsa gänzlich von großen Tautropfen besät war.

Die um ihn herumliegenden Papiere und alten gebrochenen Stein- und Blechtöpfe hätten, wenn die Finsternis nicht so dicht gewesen wäre, bemerken können, daß Gregor Samsa plötzlich mit den drei linken, freiliegenden Beinchen zu zittern begann, jedoch hätten sie wohl diesem Zittern keine Bedeutung beigemessen, da sie angenommen hätten, daß der Wind es sei, der seine Gliedmaßen bewege. Jedoch war dem nicht so. Im Gegenteil: Gregor Samsas toten Leib begann ein seltsames Etwas zu durchrinnen, das einem plötzlichen Denkenkönnen gleich und sich ewig in dem einzigen Satze: „Morgen will ich mich zusammenraffen und vor sie hintreten", äußerte. Weiter ging dieser Gedankenstrahl nicht,

Gregor Samsa konnte nicht einmal enträtseln, was dieser seltsame Satz zu bedeuten habe.

Es vergingen Stunden. Nach deren Verlauf konnte er jedoch insoweit Herr seines Denkens werden, daß er nach furchtbaren Anstrengungen wenigstens den Willen erlangte, von hier fort zu kommen. Und da seine Gedanken im Verlauf weiterer Stunden sich immer mehr und mehr zu sammeln und sich wie eine einzige, lange Kette aneinander zu reihen begannen, bemerkte er zu seinem Entsetzen, daß mit seinem Wanzenleib eine große, seltsame Veränderung vor sich ging. Er konnte dieselbe nicht erkennen, sondern hatte nur das Gefühl, daß sich sein hinteres Paar Gliedmaßen und mit ihm sein ganzer Leib sich auf unerklärliche Weise zu verlängern begann.

Und dabei kam es Gregor Samsa zum furchtbaren Bewußtsein, daß er lebe, vor kurzem für tot gehalten wurde und seit Jahren in eine ungeheuere, häßliche Wanze verwandelt worden war. Wie lange hatte er diese Tatsachen nicht mehr gedacht. Er suchte Gewißheit darüber zu erlangen, wieviel Tage wohl seit seinem angeblichen Tod und seinem jetzigen Erwachen verstrichen sein mochten.

Dann sagte er sich, daß er ruhig bleiben müsse, bis es wieder Tag werden würde, um dann bei Licht zu beschließen, was weiter zu tun sei. Aber dennoch versuchte er es, sich darüber Gewißheit zu verschaffen, wo er wohl jetzt wäre, und bemerkte, daß er in etwas Weichem lag. Er getraute sich jedoch nicht, seine Gliedmaßen zu benützen. Ein Bett konnte es nicht sein, worin er lag. Stroh oder Heu noch weniger. Langsam aber wurde ihm das Atmen schwer, und da er mit seinem Gesicht fast gänzlich nach unten lag, mußte er notgedrungen zuerst den Kopf heben, und da er denselben nicht immer steif halten konnte, auch den Rumpf gänzlich zur Seite drehen. Mit Erstaunen bemerkte er hierbei, daß ihm zwei seiner Gliedmaßen schmerzlos abfielen. Er stützte sich auf. Es kam ihm hierbei vor, als ob er Hände habe. Ein peinigendes Verlangen, sich auf die unteren zwei Gliedmaßen aufzustellen, überfiel ihn, aber er war schließlich zu feig, sich auszudenken, daß er wieder Menschengestalt angenommen haben könnte.

Die Zeit schlich ihm nun langsam dahin. Er horchte gespannt, ob er nicht den Schlag einer Uhr der Vorstadtkirchen vernehmen werde. Er lag regungslos auf einer Seite und horchte. Dann schlug es Viertel. Nach langem, zehrendem Warten Halb, Dreiviertel, bis er endlich die Uhr Drei schlagen hörte. Ein Frösteln überfiel ihn.

Er dachte: Also noch anderthalb Stunden, bis es Tag wird und mit ihm Licht. Er wollte nicht denken. Aber immer wieder kam der lange, marternde Kreislauf seiner Gedanken zurück. Gregor wurde die bloße Ahnung mit jeder Minute immer mehr Gewißheit, daß irgendetwas mit ihm vorgefallen sein und daß er – und er zitterte vor Angst am ganzen, hageren Körper – wieder Menschengestalt angenommen habe. Schließlich bog er seine oberen Gliedmaßen verzweifelt an die Stirn und schlug sich an die Schläfen. Mit Entsetzen fühlte er, daß er Finger habe, menschliche Hände habe.

Er riß alle, in ihm schlummernden Kräfte auf und sprang auf seine Füße empor. Die Finsternis war noch dicht und undurchdringlich, und er sah keine Handbreit Weges vor sich. „Gehen", fiel ihm ein. Und er versuchte zu gehen. Aber seine Knie zitterten. Kaum erhielt er Gleichgewicht; und da er den Fuß im Schritt vorsetzen wollte, stürzte er wieder zu Boden. Sein Gesicht wurde heiß, über den Rücken fuhr ihm eisige Kälte, und er fühlte, daß er fieberte. Wie sollte er nach Hause kommen? Schmerz und Schwäche zwangen ihn, regungslos liegen zu bleiben. Eine unsägliche Furcht überfiel ihn, daß er sterben werde. Sein zerwühltes Inneres wehrte sich gegen diesen Gedanken.

Sein Elend kam ihm ins Gedächtnis: „Hatte einer so viel gelitten wie ich? Niemand. Nun bin ich alt und habe kein Leben hinter mir, das ich Leben nennen könnte."

Im Rücken fühlte er einen brennenden Schmerz. Die Finger tasteten an jene Stelle. Jetzt erst besann sich Gregor Samsa, daß es jene Wunde sei, die ihm sein Vater verursacht habe, da er wütend einen Apfel nach ihm geworfen hatte.

Und dem ersten Lichtstrahl des Morgens, der ihn befiel und ihn seine Menschlichkeit sehen ließ, begann er folgende Rede zu halten:

„Verkünder des Tages! Das große Leid, das ich durchlebte, machte mich wiederum zum Menschen. Ich habe niemals über das Schicksal nachgedacht, nun aber lerne ich, zu grübeln. Das Schicksal will, daß ich wieder vor jene Menschen hintrete, die ich Vater, Mutter, Schwester, Chef und Kollegen nenne, und die nichts für mich übrig hatten, da mein Leib vermorschte; die mich haßten und fürchteten, mich aus Scham vor anderen verbargen und deren Haß so weit ging, daß sie meinem Leib Wunden schlugen."

„Vater! Wie soll ich nun vor dich hintreten, ohne meine Schmerzen und Leiden an dir zu rächen? Ohne dir zu fluchen? Mein Leben war kein Leben. Es war eine maßlose Stumpfheit, die keine Jugend, keine Freude kannte. Nun bin ich wieder Mensch. Ein Greis fast, schwach und ohne Halt. Und ich weiß nicht mehr, als daß mein ganzes Sein ein einziges großes Elend ist – eine einzige ungeheuer geahnte, ewig erfüllte Sehnsucht. Ich weiß nicht mehr, als daß ich jetzt schwach bin und friere."

Und er lag lange stumm am Boden und dachte nach und wartete, ob seine Schwäche, die ihn noch immer gefesselt hielt, schwinden würde. Das große Schweigen, das um ihn war, breitete jetzt eine große Ruhe aus, und sein Inneres ward ruhig und voll Güte.

Die Sonne kroch langsam ihren Himmelsweg empor und breitete sanfte Wärme um ihn. Gregor Samsa lag schweigend und ruhig dem Ätherbogen des Himmels an, der wortlos und ruhig, nur von ihm gehört zu ihm sprach: „Stehe auf! Gehe jetzt."

Und Gregor Samsa erhob sich und ging. Seine Schritte waren langsam, aber fest und unerbittlich. Und als er zu den ersten Häusern der Stadt gelangte, schrieen ihm die Häuserketten zu:

„Ein neues Leben beginnt!"

* * * *

„Was ist das doch für eine ausnehmend ekelhafte Geschichte"

Franz Kafka an Felice Bauer

Von Ottomar Starke geschaffene Umschlag-
zeichnung der ersten Ausgabe (1915) im Kurt
Wolff Verlag, Leipzig.

DIE IDEE ZUR *VERWANDLUNG*

Als Franz Kafka eines Morgens aus unruhigen Träumen erwachte, fand er sich in seinem Bett – nein, keineswegs zu einem ungeheueren Ungeziefer verwandelt, aber doch mit dem Gedanken daran im Kopf, der ihn nicht mehr loslassen sollte.

Das war am 17. November 1912, einem Sonntag. Kafka lag im Bett und dachte darüber nach, wie es wäre, aufzuwachen und auf einem gepanzerten Rücken zu liegen, mit unzähligen Beinchen, die hilflos in der Luft zappeln. Vermutlich fühlte er sich auch ähnlich wie Gregor Samsa, unfähig aufzustehen, hatte er doch bis tief in die Nacht an seinem Roman *Der Verschol-* *lene* gesessen mit dem Gefühl, dass dieser sich dabei „sehr verschlechtert habe"[1]. Noch dazu wartete er seit Tagen vergeblich auf einen Brief von seiner Freundin Felice Bauer und war entschlossen, „nicht früher aus dem Bett zu gehn ehe der Brief kam"[2]. Gegen Mittag brachte der Postbote endlich den ersehnten Brief und Kafka antwortete Felice noch am Abend desselben Tages. Im Schlusssatz dieses Antwortbriefes heißt es, dass er heute noch „eine kleine Geschichte niederschreiben werde, die mir in dem Jammer im Bett eingefallen ist und mich innerlichst bedrängt"[3] – der erste Hinweis auf *Die Verwandlung*.

Blick auf die Čech-Brücke, hinter der rechten Säule das Haus „Zum Schiff", in dem Kafka um 1912 wohnte.

DAS JAHR 1912

Die Welt war in diesem Jahr 1912 von anderen Ereignissen „innerlichst bedrängt" worden, Ereignisse, die natürlich auch in Kafkas Heimatstadt Prag für Gesprächsstoff sorgten: Am 15. April war der „unsinkbare" Passagierdampfer Titanic auf seiner Jungfernfahrt untergegangen und hatte dabei über 1500 Menschen mit in den Tod gerissen. Im Oktober bahnte sich mit dem ersten Balkankrieg eine weitere Katastrophe an, denn die Konflikte in der Balkanregion waren Vorboten des Ersten Weltkriegs, bis zu dessen Ausbruch nicht einmal mehr zwei Jahre vergehen

Abb. oben: Die Titanic verlässt ihren Heimathafen in Southampton.
Abb. unten: Ein Flugzeug anno 1912.

sollten. Schon jetzt war die politische Lage weltweit angespannt – kein leichter Amtsantritt für Thomas Woodrow Wilson, der im November zum Präsidenten der USA gewählt wurde. Weniger weltbewegend, aber für eifrige Briefschreiber doch interessant, war die Nachricht, dass in Deutschland mit der Beförderung von Post auf dem Luftweg begonnen wurde. Auch im literarischen Leben gab es Ereignisse, die in den Prager Kaffeehäusern diskutiert wurden: Am 30. März war der siebzigjährige Autor Karl May gestorben, der mit seinen Abenteuererzählungen wie *Winnetou* sensationelle Erfolge gefeiert hatte. Nur vierundzwanzig Jahre alt wurde dagegen der deutsche

Abb. oben links: Woodrow Wilson wird der 28. Präsident der USA.

Abb. oben rechts: Kaiser Franz Joseph befindet sich 1912 bereits in seinem 64. Thronjahr.

Abb. rechts: Karl May war noch nie in Amerika gewesen, als er seine berühmten Indianer-Geschichten schrieb.

Theater gesehen. Unter den literarischen Neuerscheinungen des Jahres 1912 befand sich nicht nur Leichtgewichtiges wie Waldemar Bonsels' *Die Biene Maja und ihre Abenteuer*, sondern mit Thomas Manns Novelle *Der Tod in Venedig* auch einer der meistinterpretierten Texte des 20. Jahrhunderts.

Schriftsteller Georg Heym: Er ertrank im Januar beim Schlittschuhlaufen auf der Havel, vermutlich bei dem Versuch, einen ins Eis eingebrochenen Freund zu retten. Doch es gab auch gute Nachrichten, etwa die Verleihung des Literaturnobelpreises an den schlesischen Schriftsteller Gerhart Hauptmann, für dessen Werk sich auch Kafka interessierte: Erst im Dezember 1911 hatte er etwa die Diebeskomödie *Der Biberpelz* im

Abb. oben: Georg Heym veröffentlichte zu Lebzeiten nur einen einzigen Gedichtband.

Abb. Mitte: Gerhart Hauptmann wollte ursprünglich Bildhauer werden – und bekam den Nobelpreis für Literatur.

Abb. unten: Thomas Mann besuchte 1912 seine Frau in Davos – dabei entstand die Idee zum *Zauberberg*.

97

Dass nun ein weiterer Text der Weltliteratur im Entstehen war, konnte an jenem Novembermorgen noch niemand ahnen. Solch ein Vormittag im Bett war für den damals neunundzwanzigjährigen Kafka überhaupt nur an einem Sonntag möglich. Von Montag bis Samstag folgte sein Tag nämlich einem strengen Ablauf: Morgens ging Dr. iur. Franz Kafka von acht bis vierzehn Uhr ins Büro der „Arbeiter-Unfall-Versicherungs-Anstalt für das Königreich Böhmen in Prag" (Na Poříčí 7), schrieb dort Briefe auf Deutsch und mitunter auch auf Tschechisch oder verfasste Berichte, etwa über Unfallverhütung am Arbeitsplatz. Dann machte er sich auf den Weg nach Hause durch die Gassen der Prager Altstadt zur Wohnung seiner Eltern in der Niklasstraße (Pařížká 36), wo er kurz zu Mittag aß („aus Kindesliebe so wie die andern, nur im ganzen etwas weniger als die andern und im einzelnen noch weniger Fleisch als wenig und mehr Gemüse"[4]) und sich danach bis um halb acht zum Schlafen ins Bett legte. Um wieder

Abb. oben: Max Brod veröffentlichte nach Kafkas Tod die Werke seines Freundes.

Abb. unten: Die Arbeiter-Unfall-Versicherungsanstalt (AUVA) in der Prager Neustadt.

Abb. rechte Seite: Im Vordergrund das Haus „Zum Schiff" am Ufer der Moldau, in dem die *Verwandlung* entstand.

wach zu werden, wurde an-
schließend geturnt (und zwar
„nackt bei offenem Fenster"[5])
und eine Stunde spazieren
gegangen, manchmal allein,
manchmal aber auch zusam-
men mit einem Freund, zum
Beispiel mit Max Brod. Nach
dem Abendessen mit der Familie (jetzt im Winter „Jo-
ghurt, Simonsbrot, Butter,
Nüsse aller Art, Kastanien,
Datteln, Feigen, Trauben,
Mandeln, Rosinen, Kürbisse,
Bananen, Äpfel, Birnen,
Orangen. Alles wird natürlich in Auswahl gegessen und
nicht etwa durcheinander wie
aus einem Füllhorn in mich
hineingeworfen"[6]) konnte
Kafka sich dann endlich ans
Schreiben machen, „je nach
Kraft, Lust und Glück bis 1,
2, 3 Uhr, einmal auch schon
bis 6 Uhr früh". Ein merk-
würdiger Tagesablauf, wie es
scheint, und doch war alles
„nur auf das Schreiben hin
eingerichtet"[7], wie er Felice
mitteilte. Dass dabei überhaupt noch Zeit für die
Korrespondenz mit seiner
späteren Verlobten blieb, ist
erstaunlich, und doch sollte
Kafka bis 1917 mehr als fünf-
hundert Postkarten und Briefe, oft über zehn Seiten lang,
an Felice schreiben. Eben
dank dieser Briefe wissen wir
so viel über sein Alltagsleben
– und natürlich auch über die
Entstehung der *Verwandlung*.

FELICE BAUER

Dass Kafka Felice seinen Tagesablauf und seine Gewohnheiten so ausführlich schilderte, hatte einen einfachen Grund: Auch sie musste ihn erst einmal kennenlernen, hatten sie sich bisher doch nur einen einzigen Nachmittag lang gesehen. Am 13. August hatte Kafka seinen Freund Max Brod besucht, bei dem gerade unter anderem eine Cousine von Brods Schwager Max Friedmann zu Gast war: Felice Bauer. Eine Gesicht, das seine Leere offen trug. Freier Hals. Überworfene Bluse. Sah ganz häuslich angezogen aus, trotzdem sie es, wie sich später zeigte gar nicht war. [...] Fast zerbrochene Nase, blondes, etwas steifes, reizloses Haar, starkes Kinn. Während ich mich setzte, sah ich sie zum erstenmal genauer an, als ich saß, hatte ich schon ein unerschütterliches Urteil."[8] Die Tagebuchnotiz klingt nicht gerade nach Liebe auf den

Woche später notierte Kafka in sein Tagebuch: „Fräulein F. B. Als ich am 13. August zu Brod kam, saß sie bei Tische und kam mir doch wie ein Dienstmädchen vor. Ich war auch gar nicht neugierig darauf, wer sie war, sondern fand mich sofort mit ihr ab. Knochiges leeres ersten Blick, und doch ging die vierundzwanzigjährige Felice Kafka nicht mehr aus dem Kopf. Am 20. September griff er schließlich zur Feder und schrieb den ersten Brief nach Berlin, wo Felice nach einem raschen beruflichen Aufstieg als Prokuristin arbeitete: „Sehr geehrtes

noch einen zweiten Verlobungsversuch, doch wieder scheiterte die Verbindung nach wenigen Monaten – über die Gründe ist viel spekuliert worden.

Fräulein! Für den leicht möglichen Fall, daß Sie sich meiner auch im geringsten nicht mehr erinnern könnten, stelle ich mich noch einmal vor: Ich heiße Franz Kafka und bin der Mensch, der Sie zum erstenmal am Abend beim Herrn Direktor Brod in Prag begrüßte ..."⁹. Über sieben Monate sollten vergehen, bis sich Felice und Franz wiedersahen – eine Zeit, die mit vielen Briefen überbrückt werden musste. Im Juni 1914 verlobten sich die beiden, doch schon im nächsten Monat folgte die Trennung. Drei Jahre später unternahmen sie

Fest steht jedenfalls, dass die junge Bekanntschaft mit Felice dazu beitrug, dass 1912 hinsichtlich Kafkas literarischer Produktion ein sehr fruchtbares Jahr wurde. Im Herbst begann er, regelmäßig an dem Roman *Der Verschollene* zu schreiben, für den er Anfang des Jahres erste Entwürfe gemacht hatte. Zweimal legte Kafka den Roman jedoch beiseite, weil ihm plötzlich andere Ideen durch den Kopf gingen. Im September entstand die Erzählung *Das Urteil*, in einem Schreibrausch niedergeschrieben im Laufe einer einzigen Nacht. Ähnlich schnell meinte

Abb. linke Seite: Die Wohnung von Max Brods Eltern, in der Kafka erstmals Felice Bauer traf.

Abb. oben: Ein Brief von Kafka an Felice in Berlin.

Abb. unten: Felice und Franz auf dem Verlobungsfoto von 1914.

Zum Schreiben saß Kafka in seinem Zimmer, das, genau wie das Zimmer Gregor Samsas, drei Türen hatte und deshalb innerhalb der Wohnung als „Verbindungsstraße" genutzt wurde. Wirkliche Ruhe herrschte deshalb erst am späten Abend. Kafka zog dann das Quartheft heraus und las zunächst das zuletzt Geschriebene, um sich wieder in die Welt der *Verwandlung* hineinzufinden. Welche Fortschritte der Text machte, ist in den Briefen an Felice nachzulesen. In der Nacht vom 17. auf den 18. November schrieb Kafka: „Meine Liebste, es ist halb 2 nachts, die angekündigte Geschichte ist bei weitem noch nicht fertig"[11], und schon im nächsten Brief heißt es: „Gerade setzte ich mich zu meiner gestrigen Geschichte mit einem unbegrenzten Verlangen, mich in sie auszugießen, deutlich von aller Trostlosigkeit aufgestachelt."[12] Kein Wunder, dass Felice neugierig wurde und gerne ein paar Zeilen dieser neuen Erzählung gelesen hätte. Doch Kafka wollte den Text noch nicht aus der Hand geben: „Zum Lesen sie Dir geben, wie soll ich das? selbst wenn sie schon fertig wäre? Sie ist recht unleserlich geschrieben und selbst wenn das kein Hindernis wäre, denn ich

Kafka auch seine „Wanzengeschichte" zu Papier bringen zu können, doch bald schon musste er feststellen, dass die *Verwandlung* keine kleine Geschichte, sondern eine ausgewachsene Erzählung werden würde. Vom ersten Einfall morgens im Bett bis zum erlösenden „Liebste, also höre, meine kleine Geschichte ist beendet"[10] vergingen fast drei Wochen.

DAS URTEIL

EINE GESCHICHTE VON FRANZ KAFKA

für Fräulein Felice B.

Es war an einem Sonntagvormittag im schönsten Frühjahr. Georg Bendemann, ein junger Kaufmann, saß in seinem Privatzimmer im ersten Stock eines der niedrigen, leichtgebauten Häuser, die entlang des Flusses in einer langen Reihe, fast nur in der Höhe und Färbung unterschieden, sich hinzogen. Er hatte gerade einen Brief an einen sich im Ausland befindenden Jugendfreund beendet, verschloß ihn in spielerischer Langsamkeit und sah dann, den Ellbogen auf den Schreibtisch gestützt, aus dem Fenster auf den Fluß, die Brücke und die Anhöhen am anderen Ufer mit ihrem schwachen Grün.

Er dachte darüber nach, wie dieser Freund, mit seinem Fortkommen zu Hause unzufrieden, vor Jahren schon nach Rußland sich förmlich geflüchtet hatte. Nun betrieb er ein Geschäft in Petersburg, das anfangs sich sehr gut angelassen hatte, seit langem aber zu stocken schien, wie der Freund bei seinen immer seltener werdenden Besuchen klagte. So arbeitete er sich in der Fremde nutzlos ab, der fremdartige Vollbart verdeckte nur schlecht das seit den Kinderjahren wohlbekannte Gesicht, dessen gelbe Hautfarbe auf eine sich entwickelnde Krankheit hinzudeuten schien. Wie er erzählte, hatte er keine rechte Verbindung mit der dortigen Kolonie seiner Landsleute, aber auch fast keinen gesellschaftlichen Verkehr mit einheimischen Familien und richtete sich so für ein endgültiges Junggesellentum ein.

Was sollte man einem solchen Manne schreiben, der sich offenbar verrannt hatte, den man bedauern, dem man aber nicht helfen konnte. Sollte man ihm vielleicht raten, wieder nach Hause zu kommen, seine Existenz hierher zu verlegen, alle die alten freundschaftlichen Beziehungen wieder aufzunehmen — wofür ja kein Hindernis bestand — und im übrigen auf die Hilfe der Freunde zu vertrauen? Das bedeutete aber nichts anderes, als

55

102

habe Dich gewiß bisher durch schöne Schrift nicht verwöhnt, so will ich Dir auch nichts zum Lesen schicken. Vorlesen will ich Dir. Ja, das wäre schön, diese Geschichte Dir vorzulesen und dabei gezwungen zu sein, Deine Hand zu halten, denn die Geschichte ist ein wenig fürchterlich. Sie heißt ‚Verwandlung‘, sie würde Dir tüchtig Angst machen“[13]. Am 24. November schrieb er dann: „Liebste! Was ist das doch für eine ausnehmend ekelhafte Geschichte, die ich jetzt wieder beiseite lege, um mich in den Gedanken an Dich zu erholen. Sie ist jetzt schon ein Stück über ihre Hälfte fortgeschritten und ich bin auch im allgemeinen mit ihr nicht unzufrieden, aber ekelhaft ist sie grenzenlos“[14]. Zu seinem großen Ärger musste Kafka Ende November eine kurze Dienst-

reise antreten, war er doch überzeugt, dass derartige Störungen schlimme Folgen für seine Erzählung haben würden: „Eine solche Geschichte müßte man höchstens mit einer Unterbrechung in zweimal 10 Stunden niederschreiben, dann hätte sie ihren natürlichen Zug und Sturm, den sie vorigen Sonntag in meinem Kopfe hatte.“[15] Nach einigen Tagen des Zweifelns, in denen Kafka meinte, sich mit der *Verwandlung* „verrannt“[16] zu haben, meldete er Felice Anfang Dezember schließlich den Tod des verwandelten Gregor Samsa: „Weine, Liebste, weine, jetzt ist die Zeit des Weinens da! Der Held meiner kleinen Geschichte ist vor einer Weile gestorben. Wenn es Dich tröstet, so erfahre, daß er genug friedlich und mit allen ausgesöhnt gestorben ist.“[17]

Abb. linke Seite oben: Die erste Seite des *Urteils* aus Kafkas Tagebuch.

Abb. linke Seite unten: Druckbild der ersten Ausgabe des *Urteils* im von Max Brod herausgegebenen Jahrbuch Arkadia (Kurt Wolff Verlag, Leipzig).

Abb. links: Die erste Seite des Manuskripts der *Verwandlung*.

Bis zur ersten Veröffentlichung des Textes vergingen jedoch noch fast drei Jahre. Im Mai 1913 erschien zunächst *Der Heizer*, das erste Kapitel des Romans *Der Verschollene*, an dem Kafka nach der Niederschrift der *Verwandlung* nur noch wenige Seiten geschrieben hatte, bevor er ihn schließlich endgültig zur Seite legte. Im Sommer 1913 wurde Kafka dann ganz von seinem Verhältnis zu Felice vereinnahmt, das in eine bedrohliche Krise geraten war. Gleichzeitig stockte auch seine literarische Produktion so sehr, dass Kafkas Zweifel an seiner schriftstellerischen Zukunft immer größer wurden. Erst im Januar 1914 nahm er sich das Manuskript der *Verwandlung* wieder vor und begann mit

Abb. oben: Das „Börsenblatt" zeigte am 6. Dezember 1915 die Verleihung des Fontane-Preises an Carl Sternheim an.

Abb. unten: Carl Sternheim lenkte die Aufmerksamkeit der Öffentlichkeit auf Kafka.

Abb. rechte Seite oben: Ein Exemplar der *Verwandlung* mit einer handschriftlichen Widmung Kafkas an Ernst Weiß.

Abb. rechte Seite unten: Franz Kafka mit 27 Jahren.

kleineren Korrekturen und Überarbeitungen. Jetzt jedoch ließ man sich beim Leipziger Kurt Wolff Verlag Zeit, und erst als der Schriftsteller Carl Sternheim das Preisgeld, das mit dem an ihn verliehenen Fontane-Preis verbunden war, als Zeichen der Anerkennung an den noch so gut wie unbekannten Franz Kafka weiterreichte, wurde die Erzählung gedruckt, im Oktober 1915 zunächst in der Monatszeitschrift „Die weißen Blätter" und zwei Monate später dann als selbstständige Publikation in der Reihe „Der jüngste Tag" des Kurt Wolff Verlags. Diese Ausgabe sollte von Ottomar Starke illustriert werden, einem Zeichner, der für den Kurt Wolff

Verlag arbeitete. Kafka hatte bezüglich der Zeichnungen jedoch Bedenken und schrieb deshalb an den Verlag: „Es ist mir [...], da Starke doch

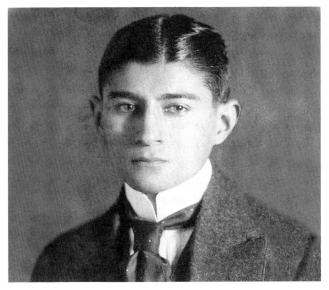

I.

ALS Gregor Samsa eines Morgens aus unruhigen Träumen erwachte, fand er sich in seinem Bett zu einem ungeheueren Ungeziefer verwandelt. Er lag auf seinem panzerartig harten Rücken und sah, wenn er den Kopf ein wenig hob, seinen gewölbten, braunen, von bogenförmigen Versteifungen geteilten Bauch, auf dessen Höhe sich die Bettdecke, zum gänzlichen Niedergleiten bereit, kaum noch erhalten konnte. Seine vielen, im Vergleich zu seinem sonstigen Umfang kläglich dünnen Beine flimmerten ihm hilflos vor den Augen.

»Was ist mit mir geschehen?«, dachte er. Es war kein Traum. Sein Zimmer, ein richtiges, nur etwas zu kleines Menschenzimmer, lag ruhig zwischen den vier wohlbekannten Wänden. Über dem Tisch, auf dem eine auseinandergepackte Musterkollektion von Tuchwaren ausgebreitet war — Samsa war Reisender —, hing das Bild, das er vor kurzem aus einer illustrierten Zeitschrift ausgeschnitten und in einem hübschen, vergoldeten Rahmen untergebracht hatte. Es stellte eine Dame dar, die, mit einem Pelzhut und einer Pelzboa versehen, aufrecht dasaß und einen schweren Pelzmuff, in dem ihr ganzer Unterarm verschwunden war, dem Beschauer entgegenhob.

Gregors Blick richtete sich dann zum Fenster, und das trübe Wetter — man hörte Regentropfen auf das Fensterblech aufschlagen — machte ihn ganz melancholisch. »Wie wäre es, wenn ich noch ein wenig weiter-

3

tatsächlich illustriert, eingefallen, er könnte etwa das Insekt selbst zeichnen wollen. Das nicht, bitte das nicht! [...] Das Insekt selbst kann nicht gezeichnet werden. Es kann aber nicht einmal von der Ferne aus gezeigt werden [...] Wenn ich für eine Illustration selbst Vorschläge machen dürfte, würde ich Szenen wählen, wie: die Eltern und der Prokurist vor der geschlossenen Tür oder noch besser die Eltern und die Schwester im beleuchteten Zimmer, während die Tür zum ganz finsteren Nebenzimmer offen steht."[18] Den Wünschen des Autors entsprechend ist das Insekt auf den Illustrationen zur ersten Ausgabe nicht zu sehen.

Erst mit den Übersetzungen der Erzählung nach Kafkas Tod setzte die weltweite Rezeption der *Verwandlung* ein. So erfolgte die erste Übertragung ins Spanische 1925, ins Französische 1928 und schon 1929 konnten auch Kafkas Landsleute in der jungen Tschechoslowakei vom Schicksal Gregor Samsas in tschechischer Sprache lesen.

Abb. oben: Die erste Druckseite der *Verwandlung* in der Reihe „Der jüngste Tag" (1915).

Abb. unten: Titelbild der tschechischen Ausgabe mit einer Illustration des westfälischen Grafikers Otto Coester.

Abb. rechte Seite oben: Franz Kafka mit 31 Jahren.

Abb. rechte Seite unten: Der Prager Schriftsteller Franz Werfel.

Zwei Briefe an Franz Kafka spiegeln die Reaktionen auf die Erzählung besonders eindringlich wider. Wie beeindruckt viele andere literarische Größen der Zeit waren, brachte Franz Werfel im November 1915 zum Ausdruck: „Ich habe nun endlich die Verwandlung gelesen, die ich nämlich mit einer runden speziellen höchst realen Geschichte, etwas allgemeines, sinnbildliches, von der ganzen Menschheit aus Tragisches darzustellen [...]. Alle Menschen, die mit Ihnen beisammen sind, müßten das wissen, und Sie nicht wie einen Mitmenschen behandeln."[19] Auch wenn man die Werfel eigentümliche Überschwänglichkeit kennt und berücksichtigt, bleibt dieser Brief doch ein Zeugnis höchster Wertschätzung. Werfel bekräftigte auch später noch einmal, dass er seinen Prager Kollegen für den bedeutendsten lebenden Schriftsteller hielt.[20]

Während auch andere Schriftsteller Franz Kafka ihre Anerkennung aussprachen,

andern Leuten leider schon oft vorphantasiert habe. Ich kann Ihnen gar nicht sagen, wie sehr ich erschüttert bin [...]. Lieber Kafka, Sie sind so rein, neu, unabhängig, und vollendet, daß man eigentlich mit Ihnen verkehren müßte, als wären Sie schon tot und unsterblich. So etwas fühlt man sonst bei keinem Lebenden. Was Sie in Ihren letzten Arbeiten geleistet haben, gab es wirklich vorher noch in keiner Literatur,

Abb. oben: Aus einem zeitgenössischen Naturgeschichtsbuch.

Abb. unten: Zeittypische Reklame für das Wiener Insektenvertilgungsmittel Zacherlin.

Abb. rechts: Die Verwandlung in der bildenden Kunst: Eine Illustration des tschechischen Malers Karel Hruška.

blieb *Die Verwandlung* für viele Leser doch nur eines: ein großes Rätsel. Im April 1917 erhielt Kafka den folgenden Brief: „Sehr geehrter Herr, Sie haben mich unglücklich gemacht. Ich habe Ihre Verwandlung gekauft und meiner Kusine geschenkt. Die weiß sich die Geschichte aber nicht zu erklären. Meine

Kusine hats ihrer Mutter gegeben, die weiß auch keine Erklärung. Nun haben sie an mich geschrieben. Ich soll ihnen die Geschichte erklären. Weil ich der Doctor der Familie wäre. Aber ich bin ratlos. Herr! Ich habe Monate hindurch im Schützengraben mich mit dem Russen herumgehauen und nicht mit der Wimper gezuckt. Wenn aber mein Renommee bei meinen Kusinen zum Teufel ginge, das ertrüg ich nicht. Nur Sie können mir helfen. Sie müssen es; denn Sie haben mir die Suppe eingebrockt. Also bitte sagen Sie mir, was meine Kusine sich bei der Verwandlung zu denken hat. Mit vorzüglicher Hochachtung ergebenst Dr Siegfried Wolff."[21]

Da von Kafka jedoch keinerlei Aussagen darüber vorliegen, warum sich ein Handelsreisender allen Naturgesetzen zuwider über Nacht in ein Rieseninsekt verwandelt, fühlten sich viele andere dazu berufen, Licht in das Dunkel von Gregor Samsas Wohnstube zu bringen: Die Erzählung wurde in alle nur denkbaren Richtungen interpretiert, von der psychoanalytischen über die philosophische bis zur theologischen. Immer wieder wurden Parallelen zum Verhältnis Kafkas zu seinem Vater gezogen, immer wieder Kafkas Kritik an der Gesellschaft herausgelesen. Der große Kafka-Kenner Hartmut Binder setzt mit einem einfachen Rat einen Schlussstrich unter die Enträtselungsversuche, indem er darauf verweist, dass der „sachgemäße Umgang mit Kafkas Verwandlung gerade darin besteht, auf eine rationale Auflösung des ominösen Verwandlungsvorgangs zu verzichten, dieses Ereignis also ‚ratlos‘ zu ertragen“[22].

Das heißt jedoch nicht, dass *Die Verwandlung* nicht von anderen Künstlern verarbeitet werden kann. Schon am 11. Juni 1916 veröffentlichte etwa das Prager Tagblatt den Text *Die Rückverwandlung des Gregor Samsa*, eine Fortsetzung von Kafkas Erzählung, geschrieben von dem jungen expressionistischen, heute nahezu vergessenen Dichter Karl Brand. Dieser wurde am 15. Oktober 1895 im mährischen Witkowitz (Vitkovice) geboren und kam 1896 mit seinen Eltern und seiner Schwester nach Prag. Brand gehörte zu dem Literaturkreis im Café Arco und kannte daher auch Kafka persönlich. Dass der einundzwanzigjährige Schriftsteller gerade eine Fortsetzung der *Verwandlung* schrieb, hat biographische Gründe: Brand litt schon seit mehreren Jahren an Lungentuberkulose und konnte aus diesem Grund nach dem Abitur keinen Beruf ausüben. Er fühlte sich deshalb als Schmarotzer seiner Familie, die in ärmlichen Verhältnissen lebte und sich abrackerte, um seine ärztliche Versorgung zu finanzieren.

Wie Gregor Samsa muss er bisweilen gedacht haben: „Alle arbeiten meinetwegen, denn ich bin ja der Parasit, der das Geld aufzehrt, das man zurücklegen oder sinnvoll verbrauchen könnte. Ich liege da oder krieche herum, wanzen- und mistkäferartig und zu nichts gut." Verstört durch die scheinbar offensichtlichen Parallelen zwischen seinem Leben und dem Gregor Samsas – Karl Brand war sogar ebenfalls Absolvent der Deutschen Handelsakademie in Prag – schrieb der Dichter eine Weiterführung, die Gregors Schicksal ins Gute wendet und ihm seine Rechte zurückgibt: Samsa kommt auf einer Müllhalde zu sich, wird seiner menschlichen Gestalt gewahr und macht sich auf den Weg zurück in die Stadt. Für den kranken Schriftsteller be-

wahrheiteten sich die Hoffnungen auf eine bessere Zukunft jedoch nicht: Am 17. März 1917, nur ein Dreivierteljahr nach der Veröffentlichung seines Textes, starb Brand an seiner Lungentuberkulose. Seine künstlerischen Leistungen wurden besonders durch Johannes Urzidil und Franz Werfel gewürdigt.

In der *Verwandlung* fanden jedoch nicht nur Dichter und Schriftsteller Inspiration, nach dem Zweiten Weltkrieg entdeckten auch Filmfreunde die Erzählung für sich. Die erste Verfilmung wurde 1951 als studentisches Unternehmen unter der Regie von Bill Hampton in den USA realisiert, 1953 erfolgte unter Regisseur Lorenza Mazzetti die erste filmische Bearbeitung in Großbritannien, 1962 nahm sich Angel Hurtado in

Abb. links: Szene aus der ersten Verfilmung der *Verwandlung*: Bill Hampton als Gregor Samsas Vater.
Abb. rechts: Der Amerikaner Philip Glass ist vor allem als Komponist von Filmmusik bekannt.

Venezuela des schwierigen Filmstoffes an, 1969 folgte der britische 25-Minuten-Kurzfilm von Carlos Pasini Hansen. Im Jahr 1975 wurde *Die Verwandlung* unter der Regie des Tschechen Jan Němec genial-komisch für das Zweite Deutsche Fernsehen aufbereitet – 53 breitenwirksame Kafka-Filmminuten brachten die bereits als Schullektüre kanonisierte Erzählung auch in die deutschen Wohnzimmer. Der Regisseur hielt sich dabei eng an die literarische Vorlage und berücksichtigte zudem Kafkas Wunsch, dass das Insekt nicht dargestellt werden solle: Durch eine raffinierte Kameraführung wird das gesamte Geschehen aus dem Blickwinkel Gregors gezeigt. Auch das Theater nahm sich der *Verwandlung* an: Der ungarische Regisseur George Tabori inszenierte 1977 in München *Verwandlungen. Improvisationen nach Kafka* und zeigte 1991 am Wiener Burgtheater sein Stück *Unruhige Träume*, in dem in freier Form Motive aus mehreren Kafka-Erzählungen kombiniert sind. Eine Katalogisierung der unzähligen Werke der bildenden Kunst, die auf Kafkas *Verwandlung* zurückgehen, steht bis dato aus. Aber auch die zeitgenössische Musik ließ sich wie-

derholt von Gregor Samsas Geschichte inspirieren. So hat etwa kein geringerer als der prominente amerikanische Komponist des musikalischen Minimalismus, Philip Glass, 1988 zwei Klavierzyklen nach Kafkas *Verwandlung* vorgelegt.

Bald hundert Jahre trennen uns von dem Jahr 1912, in dem Kafka seine *Verwandlung* zu Papier brachte, und die meisten Ereignisse von damals sind nur noch blasse Vermerke in den Büchern der Geschichte. Kafkas Erzählung dagegen ist bis heute von ungebrochener Aktualität und gehört zu den bekanntesten Werken der deutschen Literatur überhaupt. Noch immer fasziniert sie das Lesepublikum in aller Welt, mehr noch: sie gehört zum unverzichtbaren Bildungsgut heutiger und wohl auch zukünftiger Generationen. Ob Kafka wohl je ahnte, welche Wellen seine „ausnehmend ekelhafte Geschichte" dereinst schlagen würde?

Anm. 1: Brief an Felice Bauer, 17. November 1912.

Anm. 2: Brief an Felice Bauer, 17. November 1912.

Anm. 3: Brief an Felice Bauer, 17. November 1912.

Anm. 4: Brief an Felice Bauer, 21. November 1912.

Anm. 5: Brief an Felice Bauer, 1. November 1912.

Anm. 6: Brief an Felice Bauer, 21. November 1912.

Anm. 7: Brief an Felice Bauer, 1. November 1912.

Anm. 8: Tagebuch, 20. August 1912.

Anm. 9: Brief an Felice Bauer, 20. September 1912.

Anm. 10: Brief an Felice Bauer, Nacht zum 7. Dezember 1912.

Anm. 11: Brief an Felice Bauer, Nacht zum 18. November 1912.

Anm. 12: Brief an Felice Bauer, 18. November 1912.

Anm. 13: Brief an Felice Bauer, 23. November 1912.

Anm. 14: Brief an Felice Bauer, Nacht zum 24. November 1912.

Anm. 15: Brief an Felice Bauer, Nacht zum 25. November 1912.

Anm. 16: Brief an Felice Bauer, 27. November 1912.

Anm. 17: Brief an Felice Bauer, vermutlich Nacht zum 6. Dezember 1912.

Anm. 18: Kurt Wolff: Briefwechsel eines Verlegers. 1911–1963. Hrsg. von Bernhard Zeller und Ellen Otten. Frankfurt a. M. 1966, S. 37.

Anm. 19: Vgl. Schiller-Nationalmuseum / Deutsches Literaturarchiv Marbach am Neckar, *Die Kafka-Sammlung Hélène Zylberberg*, Marbach am Neckar 1996, S. 12/13.

Anm. 20: Vgl. Max Brod / Franz Kafka: Eine Freundschaft. Briefwechsel. Hrsg. von Malcolm Pasley. Frankfurt a. M. 1989, S. 210.

Anm. 21: Schiller-Nationalmuseum / Deutsches Literaturarchiv Marbach am Neckar, *Die Kafka-Sammlung Hélène Zylberberg*. Marbach am Neckar 1996, S. 14.

Anm. 22: Hartmut Binder: Kafkas „Verwandlung". Entstehung, Deutung, Wirkung. Frankfurt a. M. / Basel 2004.